Deine Toten werden leben. Jesaja 26,19

Fürchte Dich nicht, liebes Land, sondern
sei fröhlich und getrost Joel 2,21

Abb. 1: Lucas Cranach d.Ä.: Katharina von Bora

Wolfgang Liebehenschel

DER LANGSAME AUFGANG DES MORGENSTERNS VON WITTENBERG

Eine Studie und eine Erzählung
über die Herkunft von
Katharina von Bora

dr. ziethen verlag
Oschersleben

Für den Umschlag wurde die Fotografie „Sonnenaufgang hinter Kiefern"
von Wolfgang Liebehenschel verwendet.
Die Grenze zwischen den Wenden und den Deutschen bei Nossen bildete jahrhundertelang die Miriquidiwald-Grenze, welche sich durch die Gefilde von Bora – Stammsitz und Herkunftsgebiet der Adelsleute von Bora – dahinschlängelte, nördlicherseits freie Hügellandschaft, südlicherseits Hochwald aus Kiefer und Tanne.
Katharina von Bora aus der Gegend um Wendisch-Bora und Deutsch-Bora, dem Sitz derer „von Bora", verdankt ihren Namen dem slawischen Wort 'Bora', auf Deutsch 'Nadelholz' oder 'Tanne, Kiefer, Fichte', eine geographische und soziale Bindung. Dienstadel.
Die Fotografie, am 10. August 1998 gegen 6 Uhr morgens bei Berlin aufgenommen, soll Katharinas langsamen Aufgang als Luthers Morgenstern über Generationen hinweg aus den Tiefen der mittelalterlichen Aberglaubensnacht und aus fünf Adelsgeschlechtern symbolisieren. Die langsam aufgehende Morgensonne sendet aus den Kiefern genau so, wie es das Bild zeigt, ihre wärmenden Strahlen der Aufklärung in die kalte vergehende Nacht und den versinkenden Adel.

Die Deutsche Bibliothek - CIP-Einheitsaufnahme

Liebehenschel, Wolfgang:
Der langsame Aufgang des Morgensterns von Wittenberg / Wolfgang Liebehenschel. – Oschersleben : Ziethen, 1999
ISBN 3-932090-59-4

Friedrichstraße 15a, 39387 Oschersleben
Telefon 03949 - 4396, Fax 500 100
1999
Satz & Layout dr. ziethen verlag
Satz mit QuarkXPress auf Macintosh
Schrift CheltenhamOldStylT und Cheltitcbold
Druck Halberstädter Druckhaus
ISBN 3-932090-59-4
Gedruckt auf umweltfreundlich gebleichtem Papier.

Einleitung

Katharina von Bora, die Ehefrau Dr. Martin Luthers

Katharina von Bora, des Reformators Dr. Martin Luthers Frau, die nach bisher landläufiger Auffassung in Lippendorf bei Kieritzsch südöstlich von Leipzig geboren worden sein soll, stammt vielmehr aus dem Ort Hirschfeld bei Deutschenbora, Nähe Nossen. Das Dorf gehörte zur Zeit ihrer Geburt am 29. Januar 1499 zum Herzogtum Sachsen, das Herzog Albrecht von Sachsen, der Bruder des Kurfürsten Ernst von Sachsen, regierte. Nahe zu Meißen, unweit von Dresden und dicht bei dem Zisterzienser-Kloster Altenzella gelegen, war die Landschaft in Lehnsgutsbereiche aufgeteilt, deren Eigentümer oder Verwalter meist Adelsfamilien waren, die bei Hofe eine bedeutende Funktion ausübten.

Die Mutter der Katharina Luther ist nicht Katharina von Bora, sondern Anna von Bora, geborene von Haugwitz, aus dem Hause von Mergenthal zu Deutschenbora. Die bis jetzt genealogisch unbekannte Herkunft wurde durch 1 1/4-jährige Recherchen über die Abstammung aus dem Adelsgeschlecht „von Pflug“ aus Strehla an der Elbe und der Adelsfamilie „von Haugwitz“ auf Schloß Hirschstein/Elbe in der früheren Mark Meißen vom Verfasser ermittelt. Grundlage hierfür ist die genealogische Aussage in einer neu entdeckten, alten Leichenpredigt über den am 22. Oktober 1669 gestorbenen Otto Heinrich Pflug, dem Jüngeren, aus Kreinitz und Altbelgern/Elbe. Hinzu tritt die Stammtafel 4 derer von Haugwitz. – Das Sächsische Staatsarchiv Leipzig – Deutsche Zentralstelle für Genealogie – bestätigte und erweiterte Ende April 1998 nach mehrmonatiger, schwieriger Untersuchung dieses Ergebnis der Ermittlung. Die staatliche Feststellung (siehe beigefügtes Schreiben vom 28. April 1998 auf Seite 25) ist sensationell.

Damit ist die fast unbekannte Herkunft der Nonne Katharina von Bora weitestgehend geklärt. Aufgehellt wurde ihre Abstammung bis zu den Urgroßeltern Pflugk a.d.H. Zschocher und von Schönberg auf Stollberg zu Rothschönberg,

Nähe Deutschenbora. Ein anderer Urgroßvater ist Sigismund oder Sigmund von Bora aus Hirschfeld, das an Deutschenbora südlich angrenzt. Ihr Vater Hans stammt aus diesem Ort Hirschfeld.

Die Orte Hirschfeld und Deutschenbora, Neukirchen und Reinsfeld bei Nossen sowie Schloß und Herrschaft Hirschstein/Elbe vor und um 1499 sind somit die historischen Herkunftsorte der Ehefrau des Reformators bzw. deren Ahnen.

Berlin-Zehlendorf, im März 1999

Eine der hervorragendsten Frauen aus dem katholischen Nonnenstand der Zisterzienserinnen, die in der ersten Hälfte des 16. Jahrhunderts die Welt des damaligen christlichen Abendlandes entscheidend verändern halfen, war die am Karfreitag, nachts vom 4. zum 5. April 1523, aus dem Kloster Gottesthron zu Nimbschen bei Grimma geflohene Adelsjungfrau Katharina von Bora. Martin Luthers reformatorische Impulse hatten sie über blutsverwandte Klosterschwestern[1] in ihrer nicht selbst gewählten Klausur erreicht, ihr unüberlegtes – ein kindlich-unreifes – Keuschheitsgelübde in Frage gestellt und bald ihre geistlichen Fesseln altgläubiger Riten sowie ihre Klostermauern gesprengt. Trotz Todesgefahr durch Verfolgung und Strafe!

Woher sie eigentlich stammte, wußte sie wohl so richtig selbst nicht, war Katharina doch mit ihrem fünften Lebensjahr – im Jahre 1505 bereits – durch ihren Vater in klösterliche Zucht und Obhut gegeben worden. Wenig später brachte er das gerade neun Jahre alte Kind im Kloster der Adelsjungfrauen zu Nimbschen schließlich in ein endgültiges Gewahrsam. Nonne mußte sie werden. Strenge Klausur war Katharina, die übersetzt „die allzeit Reine" heißt, zeitlebens als Braut Jesu Christi geboten.

Daß sie trotzdem am Tage Corporis Christi, einem Fronleichnamstag, dem 15.Juni 1525[2] – als der Große Bauernkrieg in Süd- und Mitteldeutschland seinen Höhepunkt überschritt – die Ehefrau des Reformators geworden war, ist allgemein bekannt, bisher nahm man jedoch den 13. Juni an.

Nicht bekannt – über Jahrhunderte – ist ihre Herkunft. Obgleich ihr der engste Freund Luthers und somit auch der Familie, der Gelehrte Philipp Melanchthon, anläßlich ihres frühen Sterbens am 20. Dezember 1552 in Torgau – im 53. Lebensjahr infolge eines Unfalles – am 22. Dezember durch den Vice-Rektor der Wittenberger Universität, Paulus Eberus, in einem „Funeralprogramm" für die vor der Pest nach Torgau geflüchteten Universitätsangehörigen den

---

[1] s. „Die Stadt Grimma im Königreiche Sachsen" historisch beschrieben von Chr. Gottlob Lorenz, Leipzig, Dyk'sche Buchhandlung 1856, Seiten 156, 1108-1115: Äbtissin des Klosters Nimbschen und ihre beiden verwandten Schwestern.

[2] s. „Historische Nachricht von dem Geschlecht und Nachkommen D. Martin Luthers nebst einigen Anmerkungen" von Friedrich Sigemund Keil, Leipzig, bey M. Blochberger, 1751 (S. 9 § 9).

Nachruf widmete[3], „Catharina a Bore, nata ex nobili familia equestris ordinis in Misnia, conjux ...... Domini D. Martini Lutheri“, das heißt, „C.v.B., geboren aus einer adligen Familie ritterlichen Standes zu Meißen, Gattin ...... des Herrn D. Martin Luther“, blieb ihre Herkunft im Dunkeln.

Eine hauchdünne Andeutung Luthers über ihren Vater, den Ritter Hans von Bora, nicht aber über ihre Mutter, nicht einmal über ihre Stiefmutter, wohl eine Margarete, die Hans um 1505 ehelicht, kaum briefliche Bemerkungen Luthers über ihre Geschwister[4] – sowie – nur durch Forscher und Nachkommen – wenige literarische Hinweise auf vier geographische Orte, nämlich um 1480 – östlich – auf Deutschenbora und Hirschfeld, Nähe Meißen und um 1482 und 1540 durch Landgraf Philipp von Hessen – westlich – auf „Dorf, Vorwerk und Sitz zu der Sale in der Pflege Weißenfels“, dann – durch ihr eigenes Handeln – das vor Pfingsten 1540 ihrem Bruder Hans abgekaufte Gütchen Zulsdorf, Nähe Lippendorf, südöstlich von Leipzig, sowie auf Stein-Lausitz oder Stein-Lausnitz[5] oder Lausig, zeigen oberflächlich auf ihre väterlicherseitige Herkunft.

Mütterlicherseits beschrieb ihr Urururururenkel, Friedrich Sigemund Keil, Rev. Ministorii Candid. zu Burckhardshayn, am 7. August 1751 ihre Genealogie mit „Ux. Catharina von Bora, Herrn N. von Bora auf Stein-Lausitz und Frau Annen von Haubitz Tochter, geb. 29. Januar 1499“.

Und aus einer Dissertation über Katharina, verfaßt von dem Pastor zu Hamburg, Dr. theol. Johann Fridrich Mayer, vom 17. Februar 1698 entnehmen wir, daß „Mater ejus prognata est ex nobili gente Haubiziorum, ut constat ex tabula Lutheri Genealogica, quam insertam videre est Parti quartae Consiliorum Witebergensium p.17.“

---

[3] s. „Q.B.V. Dissertatio De CATHARINA LUTHERI CONIUGE“ Praeside JO. FRIDERICO MAYERO, Die XVII. Febr. MDCXCIX, Hamburg, Recusa 1710, latein. S.45 u. „Des unsterblichen Gottes-Gelehrten Herrn D. Johann Friedrich Mayers Unsterbl. Ehren=Gedächtnis Frauen Catbarinen Lutherin einer gebohrnen von Bora...“, Franckfurt u. Leipzig, 1724, deutsch, S.122/126.

[4] s. „Familienblatt der Lutheriden-Vereinigung“, Nr. 10, Nov. 1928, Hrsg. P. Otto Sartorius zu Dankelshausen, S. 46/50.

[5] s. „Genealogia D. Martin Luther“, Tab. I. aus „Historische Nachricht von dem Geschlecht und Nachkommen D. Mart. Luthers nebst einigen andern Anmerkungen“ v. Friedr. Sigemund Keil, Leipzig bey Michael Blochberger 1751, S. 15.

Demnach stammt sie aus dem Geschlecht derer von Haubitz (Haubiziorum). Haubitz ist einerseits ein Adelsgeschlecht zu Burkhardswalde, Nähe Deutschenbora, und zu Leipnitz, nordwestlich von Leißnig. Andererseits sind Haubitz jedoch zwei Dörfer, eins nördlich von Grimma, das andere östlich von Kieritzsch nördlich Borna, vor 1500 wohl im Lehnsbesitz der Adligen von Haugwitz (s. Karte der Umgebung von Leipzig von 1813).

Seit 1993 aber wissen wir infolge Freigabe der im Jahr 1961 gefertigten Dissertation von Elisabeth Hütter über „Die Pauliner-Universitätskirche zu Leipzig" aus Stasi-Verschluß, daß eine Anna von Haugwitz aus dem Geschlecht von Mergenthal zu Hirschfeld und Deutschenbora vor dem 10. Mai 1496 in dieser Kirche begraben wurde. An der Nordseite dieser Dominikaner-Klosterkirche, die 1968 gesprengt wurde, befand sich seit 1449 die „Haugwitz-Kapelle". Benachbart dieser Grabliege waren die Kapellen derer von Leimbach und derer von Pflugk, letztere eine hochaufragende, herrschaftliche Begräbnisstätte – die seit 1393 bestehende, gotische „Marienkapelle".

Es lag deshalb nahe, daß „von Pflug(k)" und „von Haugwitz" sich kannten, zu familiären Verbindungen neigten und – wir werden sehen – auch tatsächlich die genealogische Basis für die Geburt der Katharina von Bora schufen.

Die Adligen von Pflug waren das ältere Geschlecht der Rittergutsbesitzer und Lehnsherren im Halbkreis westlich um Leipzig, ein im Elsterland reich begüterter Uradel aus Bayern. Um Zehnhundert wohl im Heerbaum der Markgrafen ins Osterland gezogen, schon im 12. Jahrhundert in der Elster- und Pleißeaue ansässig, waren sie den sächsischen Markgrafen, später den Kurfürsten Friedrich dem Streitbaren (1423), Friedrich[7] dem Sanftmütigen (1428-64) und ihren Nachfolgern sowie dem sächsischen Hof treu ergeben. – Schon Ritter Ulrich Pluoch (sprich: Pfluoch) war 1295 der „Dispensator Curiae" des Bischofs von Merseburg. Ein Ritter Otto von Pflug sitzt ab 1383 als Herr auf Lamperswal-

---

[6] s. „Die Pauliner-Universitätskirche zu Leipzig", Elisabeth Hütter, Hrsg. Landesamt für Denkmalpflege und die Universität Leipzig, 1993, Verlag H. Böhlaus Nachf. Weimar, S. 4, 50, 51, 55, 56, 159 u. Anhang Nr. 275, 245, 262 sowie 77 ff. u. Zitat v. Hans von Mergenthal d. J. am 10. Mai 1496 sowie Grundriß der o.a. Kirche von Prof. Cornelius Gurlitt Dresden

[7] s. „Neue Sächs. Kirchengalerie – Die Parochien der ehemaligen Ephorie Pegau", hrsgg. von den Geistlichen der Ephorie, Leipzig, Vlg. Arwed Strauch, ca. 1915, S. 11/12, 27/28, 72

ABB. 2: FAMILIE DES RITTERS HANS VON MERGENTHAL DEM ÄLTEREN

Abb. 3: Wappen 1: Von Schönberg, halbroter Löwe zu Deutschenbora

Abb. 4: Wappen 2: Von Bora, roter Löwe, altes Wappen

Abb. 5: Wappen 3: Von Bora, gekrönter Löwe zu Lippendorf

de, ab 1384 auf Strehla an der Elbe, ab 1397 auf Frauenhayn und Zabeltitz und ab 1419 auf Tiefenau[8]. Im Norden von Leipzig besaß dero von Pflugk um 1349 das Dorf Gohlis als markgräfliches Lehen, später Pomsen, Seyffarthshayn, Möckern u.a.m., vor 1462 auch Windorf, und „der gestrenge und erbare Erre Nikkel Pflugk, Ritter" baute um 1406 als Herr auf Burg und Herrschaft Großzschocher, südwestlich von Leipzig, mit Erlaubnis des Klosters St. Thomas zu Leipzig auf Schloß Zschocher eine Kapelle.

1459 sind dero von Pflugk Besitzer mehrerer Landgüter in Groitsch. Wohl zusammen mit dem Erwerb von Knauthain an der Elster kam im 15. Jahrhundert auch Schloß Lauer an die Familie Pflugk. Nickel Pflugk, der Sohn von Hans Pflugk auf Zschocher, war aus der Adelsfamilie der erste Besitzer von Lauer (s. anliegende Karte der Umgebung von Leipzig). 1447 wird er auch Kriegshauptmann des Kurfürsten Friedrich II. von Sachsen. Der Großvater ist Dam Pflugk auf Groß-Zschocher. Nickel war auch Amtmann zu Leipzig, Borna und Groitsch und mit Annen von Schleinitz verheiratet. Sohn Andreas Pflugk besaß alsbald Störmthal, Dreyskau und Sonnewalde.

Noch früher, im Jahre 1349, wird der Ort Zöbigker als Rittersitz Dam Pflugk's genannt, sein Sohn Sigismund und sein Enkel Heinrich folgen. Sie besitzen auch die Ortschaft Lössnig[9]. – Folglich ist der Einfluß dieser Familie am sächsischen Hofe sehr groß.

Vorweg: Warum erzähle ich das? – Hans von Pflugk ist der eine Urgroßvater der Katharina von Bora und ihre Herkunft mütterlicherseits greift tief in die sächsische Adelsgeschichte zurück. – Diese Erkenntnisse sind hier erstmals aufgezeichnet.

Mehrere Töchter dieser „Hochedelgebornen" von Pflug, werden Nonnen an verschiedenen Klöstern, wie z.B. Anna und Metze Pflugin um das Jahr 1500 im Freiberger Marien–Magdalenen-Kloster von der Buße. Fast jede Generation stellt eine Nonne. So werden auch – wie wir sehen werden – eine Tante und

---

[8] s. aus „Adelskalender Gotha", Ausgabe 1921, S. 588 - 591

[9] s. „Die Umgebung Leipzigs in geschichtlicher Abriß der nächstliegenden 56 Dörfer", Verf. Otto Moser, 1868, Leipzig by M.G. Priber, S. 6/8, 11, 17, 49, 63, 103, 119 (s.Tafel Itl).

eine Cousine der Katharina, Maria und Catherina von Mergenthal, jeweils Nonnen ihrer Generation. Auch Martin Luther streitet 1542 mit dem katholischen Bischof Julius von Pflug von Naumburg-Zeitz um den rechten Glauben.

Ganz ähnlich dero „von Haugwitz". Die adlige Familie des Kurt von Haugwitz saß Ende des 15. und zu Beginn des 16. Jahrhunderts auf Schloß und Herrschaft Burgwerben, Nähe Weißenfels an der Naumburger Saale. Ein Ritter Hans von Haugwitz besitzt in der 2. Hälfte des 15. Jahrhunderts – genau um 1462 – die Herrschaft Cleeberg[10], das Schloß und die Herrschaft Taucha mit ca. 60 Dörfern, also den Halbkreis östlich um Leipzig[11]. Ritter Kaspar von Haugwitz, urkundlich 1427-1454, kauft 1446 Schloß Burgwerben, 1449 saß er auf Cleeberg, im Jahre 1460 besitzt er mit seinen Brüdern Neukirch, Mölbitz, Haubitz, Cleeberg, Flößberg und die vorgenannten ca. 60 Dörfer. Lehnsverhältnisse zu Taucha hatten auch die Rittersitze Portitz und Grasdorf mit Cradefeld. Hans von Haugwitz[12] besaß im Jahre 1506 außer Taucha noch das Rittergut Burgwerben. Seine beiden Söhne, Kunz und Wilhelm d.Ä., teilen sich nach des Vaters Tod das Erbe. Kunz erhält Burgwerben, Wilhelm das Schloß Taucha und das Rittergut Beucha bei Borna.

Ritter Hans von Haugwitz soll gemäßigter Natur und frommer Gesinnung gewesen sein. Er ließ im Jahr 1449 die oben erwähnte „Haugwitz-Kapelle" an der Kirche der Dominikaner zu Leipzig anbauen. Wilhelm von Haugwitz, der Ältere gegenüber seinem Vetter und Nachfolger Wilhelm von Haugwitz a.d.H. Hirschstein bei Meißen, wird vor 1524 durch einen schweren Wegerechts-Streit mit der Stadt Leipzig übel bekannt, von Herzog Georg dem Bärtigen in Dresden erst sehr geschätzt, dann jedoch verfolgt und enteignet. Wilhelms d.J. a.d.H. Hirschsteins Vater ist ein Ritter Jahn von Haugwitz auf Schloß und Herrschaft Hirschstein/Elbe.

---

[10] s. wie vor, jedoch S.76/77 ff

[11] s. „Adler" Zeitschrift für Genealogie und Heraldik, Hrsg. Heraldisch-Genealog. Gesellschaft „Adler" Wien, 17. (XXXI.) Bd., Heft 3, Juli/Sept. 1993, S. 92

[12] s. „Taucha im Wandel der Zeiten", Hrsg. Albert Damm, II. Bd., Heft 1, Taucha im Selbstverlag, und „Geschichte der Stadt Taucha von der Zeit ihrer Gründung bis zum Jahre 1813", Verf. Joh. Gottlieb Guth, 1866, Taucka Vlg. Adolph Thallwitz, S. 16 ff.

Abb. 6: Familie Hans von Mergenthal des Jüngeren
mit Zisterzienser-Nonne Catharina „Una ex Nobilis a Mergenthal"
ab 1511 im Marien-Magdalenen-Kloster Freiberg.
Ölgemälde von 1556 zu Deutschenbora

Abb. 7:
Ritter Hans von Mergenthal der Jüngere, Stiefonkel der Katharina v. Bora

Abb. 8:
Anna von Mergenthal, spätere von Haugwitz, Grossmutter der Katharina v. Bora

Vorweg: Ritter Jahn von Haugwitz ist der Großvater der Katharina von Bora mütterlicherseits.

Von 1420 bis 1431 hatten die Hussitenkriege getobt und hinterließen im Kurfürstentum und im Herzogtum Sachsen ausgeblutete Städte und verheerend zugerichtete Dörfer und Rittergüter. Schon bevor sie 1464 an die Macht kamen, legten die jungen Fürsten Ernst und Albrecht großen Wert auf den wirtschaftlichen Aufbau des verwüsteten Landes. Während Herzog Albrecht (Regent in Dresden von 1464-1500) sich in Eger am 25. April 1459 mit der Tochter Zedena (Sidonie) des „Ketzerkönigs" Georg Podiebrad[13], der 1458 von den böhmischen Hussiten gewählt wurde und bis 1470 regierte, verlobte, bemühte er sich in diesen Jahren in Einklang mit seinem kurfürstlichen Bruder Ernst um ökonomische Besserung der Lage und die Sammlung neuer, personeller Kräfte. Dresden wird 1464 Sitz Herzog Albrechts des Beherzten, des Bruders des Kurfürsten Ernst[14], der seine Residenz nach dem Tode seines Vaters, des Kurfürsten Friedrich II. des Sanftmütigen, in Torgau beibehält. Albrecht baut für sich ein Schloß daneben.

Die Fürsten ziehen junge, fachkompetente Adlige und begüterte Bürgerssöhne an die Höfe zu Torgau und Dresden, so aus Zwickau und der Leipziger sowie Vogtländer Gegend, und lassen sie an der Elbe nördlich und südlich Meißen seßhaft werden. – Jahn von Haugwitz zum Beispiel erhält 1461 Schloß und Herrschaft Hirschstein/Elbe vom „Cantzler des Kurfürsten", Georg von Haugwitz. Dort lebt er noch 1497. Hanß Mergenthal, ein anderes Beispiel, kommt aus begüterter Kaufmanns-, Bergwerks- und Rittergutsfamilie aus Zwickau, wird 1464 „Cantzler des Herzogs" und 1476 zum Ritter geschlagen[16, 17, 18, 19, 20].

---

[13] s. Brockhaus' Konversations-Lexikon von 1895, 13. Bd., S. 215 und 1896, 14. Bd., S. 143 über König Georg Podiebrad, der als vorreformatorischer Schutzherr durch Zedena mit Albrecht direkt liiert war, bis 1471 regiert, erst Papstgegner, dann aus polit. Gründen mit Rom Frieden schließt.

[14] s. Brockhaus' Konversations-Lexikon von 1896, wie vor

[15] s. „Sachsens Kirchen-Galerie, Lief. 33, Inspection Meißen, Dec. 1836, S. 131

[16] s. „Hanns von Mergenthal", Allgemeine Deutsche Biographie; Verf. Heyd, Bd. 21, Vlg. Duncker & Humblot, Leipzig 1885, S. 421, 422

[17] s. „Chronik der Kreisstadt Zwickau mit litn. Ansichten", Emil Herzog, Zwickau, 1839-45

[18] s. „Denkwürdigkeiten d. altsächs. kurfürstl. Residenz Torgau a. d. Zeit und zur Geschichte der Reformation" nebst 3 Anhg. und 2 lith. Blättern Vlg. Neubürger 1834, Dessau

Adlige[21], wie von Haugwitz, von Einsiedel, von Starschedel, Abraham von der Sahla, von Bünau, von Mergenthal (erst bürgerlich), von Feillitz, von Thum, von Dolzig, von Miltitz und Maltitz, von Ebeleben, von Pristeblich, von Schönberg auf Stolberg und andere, frischen dero von Pflug auf Strehla/Elbe, von Schleinitz, von Bieberstein, von Bora auf Hirschfeld, von Schönberg auf Rothschönberg, von Theler, von Taubenheim, von Wellerswalde, Erbmarschall Löser, von Vitzthum, von Berbersdorf, von Hirschfeld und Reinsberg, von Mochau, Lochau und Ponikau, von Staupitz, von Canitz, von Minkwitz und dergleichen – damals von weither kommend – auf. Sie bilden in der 2. Hälfte des 15. Jahrhunderts den Neubestand an Ratgebern, Canzlern, Marschällen, Landrentmeistern, Appellationsräten und neuen Funktionsträgern des Kurfürsten, der -prinzen und Herzöge. Viele dieser Geschlechter – von Pflug, von Haugwitz, von Schönberg, von Schleinitz u.a. – haben im geistlichen Stand als Bischof, Abt, Äbtissin, Prior hohe Würden und bilden einen erheblichen Anteil der Nonnen und Mönche.

Nach dem Tod ihres Oheims, Herzogs Wilhelm III. von Thüringen, im Jahre 1482, teilen Ernst und Albrecht 1485 das durch den Zuwachs um Thüringen vergrößerte Sachsenland, die polizeiliche Ordnung, den Adel und die Zuständigkeiten unter sich neu auf[22]. So erhält beispielsweise ein Ritter Hans von Bora am 11. Dezember 1482 das Lehen „Dorf, Vorwerk und Sitz zu der Sale in der Pflege Weißenfels". Zeugen der Belehnung durch Kurfürst Ernst und Herzog Albricht sind Kaspar von Schönberg und Heinrich von Miltitz. Am gleichen Ta-

---

[19] s. „Codex diplomaticas Saxoniae Regiae", Hubert Ermisch, neu 1976 und 2. Hauptteil, V. Bd. von Posern-Klett, Giesecke & Devrient, Leipzig 1875, S. 236/No. 319 vom 25.2.1465, S. 256/No. 353 vom 19.12.1471, S. 268/69/No. 370 vom 10.4.1475, S. 453 vom 6.3.1474

[20] s. Ölgemälde in evang. Kirche Deutschenbora, Tafel 2, Daten des Hans von Mergenthal mit Familie zu Hirschfeld, gemalt 1556, entdeckt 1997 (siehe Erzählung)

[21] s. „Beschreibende Darstellg. d. ält. Bau- und Kunstdenkmäler des Königreichs Sachsen", hrsgg. von dem Königl. Sächs. Ministerium des Inneren, 24. Heft, Amtshauptmannschaft Dresden-Altstadt v. Cornelius Gurlitt, Dresden 1904 bei C.C. Meinhold & Söhne; Gleiches im 18. Heft von 1896 über Leipzig; Gleiches im 38. Heft von 1918 über d. Amtshauptmannschaft Meißen-Land, S. 133/34 ff.

[22] s. Karten des Kurfürstenthums und Herzogsthums Sachsen von ca. 1482 oder wenig später (s. allgem. Literatur)

ge geben die Fürsten ihre Zustimmung, daß dieser Hans von Bora zu Lippendorf den Besitz als Leibgedinge an seine Frau Katharina verschreibe.

Trotzdem entsteht die Frage: Kommen Hans von Bora und seine Ehefrau Katharina aus Hirschfeld bei Deutschenbora, dem die Güter derer von Schönberg und von Miltitz benachbart sind? Was ist der Grund, den Sitz von der Großen Triebisch an die Saale bei Weißenfels-Burgwerben zu verlegen? Ist es ein Landtausch mit Jahn von Haugwitz auf Schloß und Herrschaft Hirschstein/Elbe mit dem Haugwitz-Sitz in Burgwerben bei Weißenfels? Etwa eine Abfindung? Der Stiefsohn des Jahn von Haugwitz, Ritter Hans von Mergenthal d.J., wird nämlich Ende 1480 Erbe von Hirschfeld und nimmt dort um 1482 seinen Sitz![23] Ist Hans von Bora der Sohn des verstorbenen Bruders Wilhelm von Bora zu Lippendorf? Der hinterließ auch einen Sohn Jan (Abk. für Johannes oder Hans), seligen Angedenkens an seinen Großvater zu Deutschen-Bora, Hans von Bora.

Hans (hier genannt d.Ä.), Sohn von Sigismund, war schon im Gefolge des Herzogs Wilhelm III. von Thüringen, als der im Jahr 1461 nach Jerusalem pilgerte. Wilhelm von Bora, zweiter Sohn des Sigismund, muß schon 1476 auf Lippendorf gestorben sein. Zuvor waren Hans und Wilhelm von Bora, beurkundet in Schweinitz um 1472, durch den Kurfürsten und Herzog Albrecht mit den Gütern Löben und Brandis belehnt worden. So ist es wohl der Sohn Wilhelms, Jan von Bora, der – ohne Hoffnung auf männlichen Nachwuchs – dreiundzwanzig Jahre nach dem 11. Dezember 1482, am 15. Mai 1505, seiner zweiten Frau Margarete, mit Zustimmung von Herzog Georg dem Bärtigen, alle Güter zu Lippendorf als Leibgedinge verschreibt.

Jan hat also keine Söhne, während Katharina von Bora Brüder hatte. Das ist allein schon durch ihren Neffen Florian von Bora erwiesen, der im Lutherhause lebte. Hans von Bora und seine Frau Anna geb. von Haugwitz sind die Großeltern des Florian. Folglich sind Jan von Bora und seine Ehefrau Katharina nicht die Eltern der Katharina Luther geb. von Bora. Sie hätten seit dem 11. Dezember 1482 weder Sohn noch Tochter gehabt, bis am 29. Januar 1499 (nach über 17-jähriger Ehe) die erste Tochter, nämlich Katharina von Bora ge-

---

[23] s. Daten der Ölbilder von 1556 i.d. evang. Kirche Deutschenbora.

boren worden ist. Das ist unwahrscheinlich. Insofern sind der Vetter Hans zu Hirschfeld, der Enkel des Hans von Bora d.Ä., mit Anna geb. von Haugwitz die Eltern der Ehefrau Luthers.

Hans von Bora sen. und Hans von Bora jun. auf Hirschfeld waren der Dienstadel für den Ritter Hannß von Mergenthal, der infolge seines Todes im Jahr 1480 durch seinen ehelichen Nachfolger, Ritter Jan von Haugwitz zu Hirschstein, für seine Witwe, Anna von Mergenthal, aus Deutschenbora/Hirschfeld abgelöst wird. Allerdings ist Jan von Bora zu Lippendorf der Onkel oder Großonkel der Katharina Luther geb. von Bora. Deren Großmutter, Anna, zweitverehelichte von Haugwitz, nahm den stolzen Namen „aus dem Hause von Mergenthal" mit, so daß auch erklärlich ist, daß Katharina bei ihrem Eintritt ins Kloster Nimbschen als Nonne den weltlichen Namen „a.d.H. von Mergenthal" ablegte.

Die Epitaphe und Grabplatten vor und um 1500 in den Klosterkirchen zu Altenzella bei Nossen[24], im Leipziger Dominikaner-Kloster, im Meißner Dom[25] und St. Afra[26], in Dresden[27], Döhlen und Freiberg, den Kirchen um Oschatz, in Leisnig und Leißnitz und in der Pflege Lommatsch bis Torgau, sprechen durch Ornat, Text und durch feindetaillierte, künstlerische Gestaltung von ihrer Wichtigkeit. So auch derer „von Bora" von 1403 und 1424 in der Andreaskapelle der Klosterkirche Altenzella – in der Celle[28, 29, 30].

---

[24] s. Ergänzungsheft zur Beschreibung Darstellung d. ält. Bau- und Kunstdenkmäler Sachsens – „Das Zisterzienser-Kloster ALTENZELLA in Sachsen", Verf. Cornelins Gurlitt, Dresden 1922, Vlg. C.C. Meinhold & Söhne, S. 15, 20, 46

[25] s. „Beschreibende Darstellung d. ält. Bau- und Kunstdenkmäler in Sachsen", Unter Mitwirkung des Sächs. Altertumsvereins, hrgg. v.d. Sächs. Ministerium des Innern, 40. Heft: Meißen (Burgberg), Vfs. Cornelius Gurlitt, Dresden, Vgl. C.C. Meinhold & Söhne, 1919

[26] s. Titel wie vor, jedoch 39. Heft: Meißen (Stadt, Vorstädte, Afrafreiheit und Wasserburg) Vfs. Cornelius Gurlitt, Dresden, Vlg. C.C. Meinhold & Söhne, 1917)

[27] s. „Beschreibende Darstellung d. ält. Bau- und Kunstdenkmäler des Königsreichs Sachsen" unter Mitwirkung d. K. Sächsischen Alterthumsvereins, hrgg. v.d. K. Sächs. Ministerium d. Innern, 24. Heft: Amtshauptmannschaft Dresden-Altstadt (Land), Vfs. Cornelius Gurlitt, Dresden, C.C. Meinhold & Söhne, 1904

[28] s. aus "Parochie Hirschfeld" von Pastor Langer, 1901, (Rubrum), Seite 71

[29] s. „Geschichtl. Notizen des Pfarrers Möckel", (Rubrum)

[30] s. Kurfürst August hat 1545 Altenzella der Auflösung preisgegeben, wodurch die Gebäude zum Steinbruch wurden. So ist das Schloß Nossen, wo Luthers Sohn Paul im Jahr 1553 Anna von Warbeck heiratete, z.T. aus den Steinen errichtet.

Wodurch ist die Genealogie der mütterlichen Linie der Katharina von Bora entdeckt worden?

Eine in unserem Lindemann'schen Familienbesitz befindliche Leichenpredigt für den am 22. Oktober 1669 jung verstorbenen Büchsenpagen des damaligen Kurprinzen, eines zuvor vom Pferd gestürzten Otto Heinrich von Pflug auf Strehla, Kreynitz und Alt-Belgern an der Elbe (s. Tafeln I + II), warf permanent die Frage auf, wieso sie einem alten, im Jahre 1568 von Luthers Famulus Johannes Aurifaber gedruckten Exemplar der „Tischreden" Dr. Martin Luthers eingebunden ist. Sollte das für spätere Generationen ein genealogischer Hinweis sein? – Was sollte diese Fiktion? Eingebunden auch eine Leichenpredigt des Ritters August von Kötteritz, dessen Urgroßvater, Sebastian von Kötteritz auf Sitten und Kroptewitz, von Martin Luther dem Georg Spalatin brieflich am 10. April 1523 als besonders zuverlässig empfohlen wird.

COLLOQVIA
Oder
Tischreden Doctor Mart. Luthers / So er in vielen Jaren / gegen Gelarten Leuten / auch frembden Gesten / vnd seinen Tischgesellen geführet / Nach den Häuptstücken vnserer Christlichen Lehre / zusammen getragen /
Vnd jetzt
Auffs newe Corrigieret.

Johan. am 6.
Samlet die vbrigen Brocken / Auff das nichts vmbkomme.

Getruckt zu Franckfurt am Mayn / Anno rc.
M. D. LXVIII.

ABB. 9: TITELBLATT DER „TISCHREDEN DOCTOR MART. LUTHERS", 1568

Vorweg: Die über 100 Jahre nach dem Druck der „Tischreden" Luthers hierin eingebundene Leichenpredigt „von Pflug" war der stille Fingerzeig, daß eine Verbindung der Katharina Luther, Geborenen von Bora, zum Geschlecht derer

Seelige und Sehnliche Himmels-begierde/
Wie auch
Gottseelige Geistliche Jagt-gebührde
Deß
Weiland Hoch-Edelgebornen / Gestrengen und Vesten
Herrn
Otto-Heinrich
Pfluges/
des Jüngern uff Kreynitz und
Altbelgern /
Churprintzlicher Durchlauchtigkeit zu Sachsen
gewesenen Jagt- und Büchsen Wagens /
Welcher am 22. Octobr. Anno 1669. im HErrn seelig
verschieden/ und hernach den 25. Jan. Anno 1670. bey
Volckreicher HochAdelicher Versamlung / in der Kirchen
zu S. Lorentz an der Elbe / in sein Ruhe-Gewölbe ver-
setzet ward /
Auß dessen Leichen-Texts-worten des 42. Psalms
Wie der Hirsch schreyet nach frischen Wasser /
so schreyet meine Seele / GOtt zu dir &c.
In folgender Predigt erkläret/
Und auff begehren in Druck gegeben
Von
M. ZACAHRIA Wagnern /
Pfarrern zu Lorentzkirch.

In Wittenberg
druckts mit Joh. Borckards Universität Buchdr. Schrifften
Simon Lieberhirt.

ABB. 10: TITELBLATT DER LEICHENPREDIGT OTTO HEINRICH PFLUGES

von Pflug(k) besteht. – Eine Anfrage der heute noch existierenden Familie von Haugwitz vom Februar 1997 und deren spätere Zuarbeit brachte die blutsverwandte Bindung „derer von Pflug“ zu der Familie „von Haugwitz“ in der Genealogie der Katharina von Bora ans Licht, insbesondere durch den Hinweis auf Anna von Haugwitz verwitwete von Mergenthal (†vor 1496) in der Leipziger Pauliner-Universitätskirche.

Ritter Jahn von Haugwitz zu Hirschstein/Elbe heiratete nämlich nach 1481 eine Anna von Mergenthal[31], geborene von Schönberg, die Witwe des „Cantzlers und Landrentmeisters“ Hanns von Mergenthal, der am Dienstag nach Andrea 1480 starb. Anna ist Herrin zu Deutschenbora, Hirschfeld, Tanneberg, Neukirchen, Reinsberg und Rothschönberg, Krummenhennersdorf bis Nössige, wohnhaft zu Klitze. Ihr Sohn ist Hans von Mergenthal d.J., sie hat zwei Töchter. Aber auch in zweiter Ehe mit Jahn von Haugwitz auf Hirschstein hat sie sechs Kinder, wohl drei Mädchen und drei Jungen, deren Vornamen uns bekannt sind.

[31] s. „Familienheft der Lutheriden-Vereinigung, Nr. 10, Nov. 1928, S. 54)

Die Analyse[32] führt zu der auf einem anmutigen Ölbildfries in der Deutschenboraer Dorfkirche dargestellten Adelsfamilie von Mergenthal. Dort ist die Großmutter der Katharina, Anna geborene von Schönberg, gemalt. Sie ist es, die vor dem 10. Mai 1496 in der Haugwitz-Kapelle zu Leipzig bestattet wurde. Deren eine ebenfalls gemalte Enkelin ist die Freiberger Zisterzienser-Nonne, Katherina von Mergenthal, die 1529 – wie sechs Jahre zuvor ihre berühmtere Cousine Katharina – aus dem Maria-Magdalenen-Kloster von der Buße flüchtet[33]. Sie ist fast gleichaltrig mit der Ehefrau Martin Luthers. Der Reformator sagt über ihre Flucht: „Una nobilis a Mergental". – Die andere Enkelin der Anna von Haugwitz ist Katharina von Bora. Letztere soll – wie gesagt – ihren Namen „von Mergenthal" beim Eintritt in das Kloster Nimbschen „demutsvoll abgelegt" haben[34]. Katharinas Mutter ist eine geborene Anna von Haugwitz, verehelichte von Bora a.d.H. von Mergenthal. Mergenthal dominiert gegenüber „von Haugwitz". Die Urgroßmutter ist Elisabeth Pflugk aus dem Hause Zschocher, einer der Ururgroßväter (um 1425) ist Hans oder Dam Pflugk aus Zschocher, südlich Leipzig (s.Tafel III).

Mit Hilfe des Sächsischen Staatsarchives zu Leipzig – Abteilung Deutsches Zentralinstitut für Genealogie – gelingt Ende April 1998 der Beweis[35], daß Anna, geborene von Haugwitz, die Mutter der Katharina von Bora ist. Der Geburtsort ist das Rittergut Hirschfeld[36], das bis 1525/30 noch dem Hans von

---

[32] s. „Ahnen und Enkel – Das neue Luther-Nachkommenbuch 1525 – 1960", Hrsg. Pastor Martin Clasen im Auftrag der Lutheriden-Vereinigung e.V., C.A. Starke Verlag Limburg, 1960

[33] s. „Stand und Herkommen der Insassen einiger Klöster der mittelalterlichen Mark Meissen" – Ein Beitrag zur Kloster- und Stände-Geschichte, Inaugural-Dissertation an der Hohen philosophischen Fakultät d. Universität Leipzig, von Gerhard Burck, Oschatz, Meissen 1913, Vlg. C.E. Klinkicht & Sohn

[34] s. „Sächsische Kirchen-Galerie", Vlg. von Hermann Schmidt, Dresden 1837, S. 110/111 – Deutschenbora

[35] s. Schreiben des Sächsischen Staatsarchivs Leipzig – Abt. Deutsche Zentralstelle für Genealogie – 04329 Leipzig – Az STAL7512.20/818 vom 28.04.1998 – Referentin Martina Wermes. (Literarische und genealogische Belege).

[36] s. „Die Beziehungen Luthers und seiner Gemahlin, Katharina von Bora, zur Familie von Hirschfeld" in „Beiträge zur Sächs. Kirchengemeinde", H. 2., Vfs. Georg von Hirschfeld, Leipzig 1883, S. 108 ff.

Bora gehört haben soll[37]. Dann erwarb es Wolff von Mergenthal, der im Jahre 1506 Erbe der Güter um Deutschenbora-Hirschfeld geworden war. Sein Vater Hans von Mergenthal ist 1506 in der Stiftskirche zu Altenzella, sein Sohn Wolff (†am Freitag nach Marie Lichtmeß 1556) in der Kirche zu Hirschfeld bestattet worden. Letzterer war ein Vetter der Katharina von Bora.

Noch fehlt eine Urkunde über ihre Geburt. Rechnerisch ergibt sich, daß Anna von Bora, geborene von Haugwitz a.d.H. von Mergenthal, etwa 17 Jahre alt war, als Katharina von Bora am 29. Januar 1499 geboren wird. Aber schon vor 1505 – mit etwa 23 Jahren – stirbt Anna, der Grund, wodurch die kleine Katharina mit fünf Jahren ins Kloster gebracht wurde.

Aus der mit einigen historischen Daten und Fakten besetzten Erzählung werden wir ihren denkbaren Herkunftseinfluß auf den großen Reformator, besonders in seiner Haltung zu Fürsten und Bauern, erahnen. Katharina war eine Persönlichkeit, die ihr Bewußtsein, aus hohem sächsischen Adel zu stammen, nicht anerzogen bekam, auch wohl selbst kaum an ihre adlige Herkunft glaubte, nirgends – jedenfalls schriftlich – darüber redete, Bescheidenheit, Frömmigkeit und Dienen voran stellte, aber doch irgendwie herrisch und selbstsicher auftrat.

Aus ihrem sozialen Sinn, ihrem geistlichen Verstand und ihrem Arbeitsfleiß, die sie selbstlos für die eigenen und verwandten Kinder, für „seine" Studenten im Lutherhaus und vor allem für Luthers zahlreiche Freunde einsetzte, gab ihr der Reformator selbst – in höchstem Respekt vor seiner Käthe – den bescheidenen biblischen Namen „meine Rippe", sprach nach seiner Heirat oft von „meiner Herrin und gnädigen Frau Katharina" und verlieh ihr den prosaischen Ehrentitel: „Morgenstern von Wittenberg".

---

[37] s. aus „Parochie Hirschfeld" von Pastor Langer, 1901, (Rubrum), Seite 71

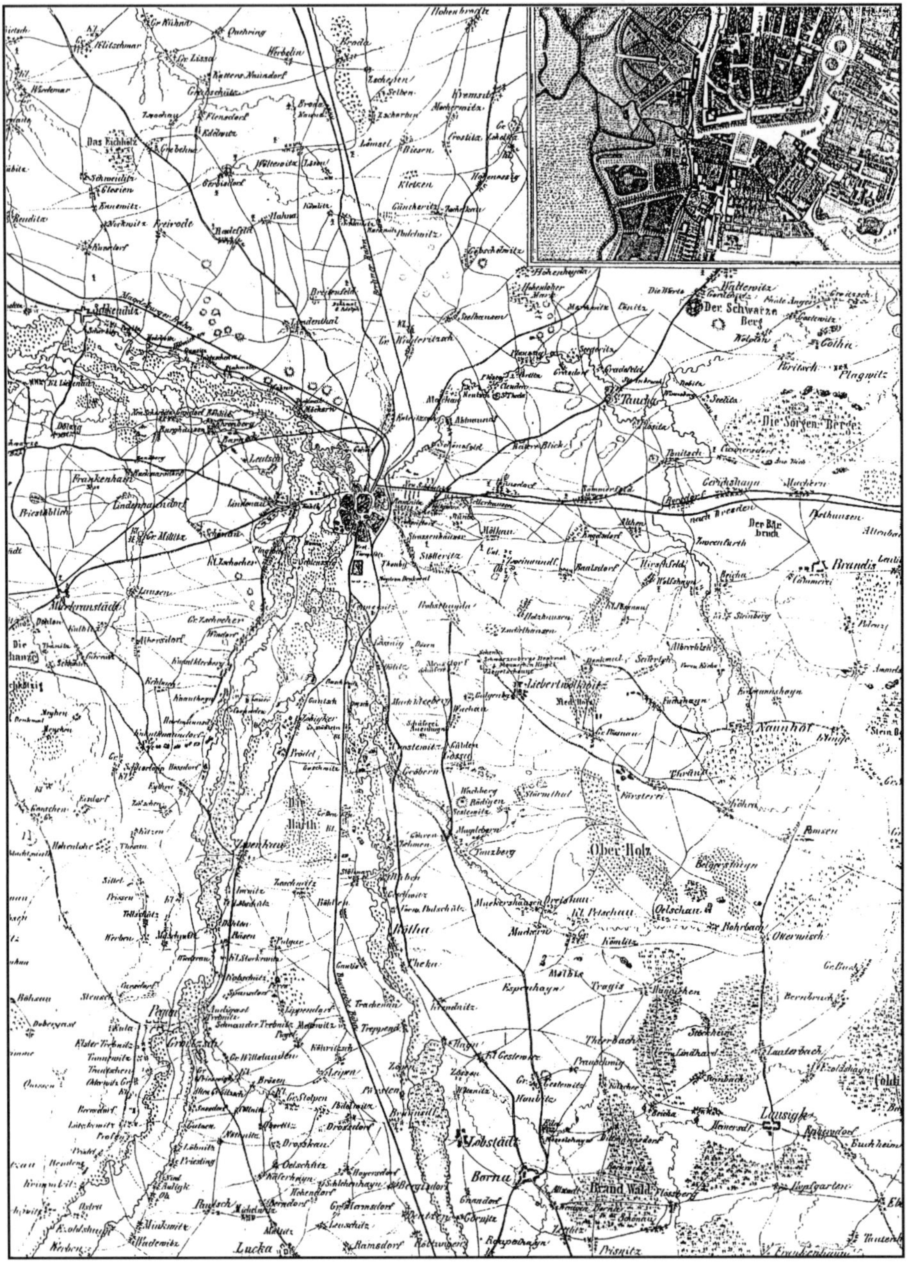

Abb. 11: Karte der Umgebung von Leipzig aus dem Jahre 1813

SÄCHSISCHES
STAATSARCHIV LEIPZIG

Abt. Deutsche Zentralstelle
für Genealogie

SÄCHSISCHES STAATSARCHIV LEIPZIG
Schongauerstraße 1
04329 Leipzig

Herrn
Wolfgang Liebehenschel
Am Lappjagen 7

14169 Berlin

Leipzig, den 28.04.98

Tel. (03 41) 2 55 55 -

Bearb.: Wermes

Aktenzeichen:
(Bitte bei Antwort angeben)

STAL7512.20/818

Sehr geehrter Herr Liebehenschel,

wir überprüften für Sie unsere Archivbestände und genealogischen Sammlungen nach den gesuchten Unterlagen zu Katharina von Bora (1499-1552). Das Ergebnis finden Sie in der Anlage. Aus der Literatur und uns vorliegenden genealogischen Abhandlungen zur Familie von Bora geht hervor, daß Hans von Bora auf Hirschfeld und Anna von Haugwitz die Eltern der o.G. sein müssen und daß Hirschfeld als Geburtsort der Ehefrau Luthers anzunehmen ist. Die Gründe, die der Verfasser, Georg von Hirschfeld, für Hirschfeld und gegen Lippendorf ins Feld führt, sind gewichtig (Sterbedatum des Hans von Bora auf Lippendorf, keine männlichen Nachkommen).
Weiterhin ist festzustellen, daß Anna von Schönberg von Heinrich von Sch. abstammt, der die Linie Stollberg begründete.
Nicht aufzuklären ist die Herkunft der Anna von Haugwitz. In der Linie von Haugwitz konnten wir eine Anna von H. nicht ermitteln. Auch die Zugehörigkeit zu einer Familie von Haubitz ist auszuschließen, da wie Fritz Fischer im Band X seines Ahnenreihenwerkes schreibt:"nach dem Tode von Asmus von Haubitz 1532 die Kinder der Anna von Bora als Erben in Erscheinung getreten wären. Genannt werden jedoch nur die beiden Schwestern Margarethe, Äbtissin zu Nimbschen, und Euphemia, Witwe des Heinrich von Bünau."
Margarethe von Haubitz, Äbtissin in Nimbschen seit 1508 bis zu ihrem Tod 1536 war die Schwester des Hans von Haubitz auf Leipnitz, der wiederum ein Sohn des Hans von Haubitz (+1496) auf Haubitz und Leipnitz war. Ein Zusammenhang zur Familie von Haugwitz ist nicht feststellbar. Der Stammbaumentwurf ist bis auf das Fragezeichen bei Anna von Haugwitz richtig.
Jan von Haugwitz hat nachweislich noch 1499 auf Schloß Hirschstein gesessen. Eine Übersiedlung nach Taucha oder Kleeberg wäre anhand der Regesten nachweisbar.

Mit freundlichen Grüßen

M. Wermes

M.Wermes
Referentin

/Gebührenbescheid

Öffnungszeiten: Montag und Dienstag 8.00 - 16.00 Uhr
Mittwoch und Donnerstag 8.00 - 18.00 Uhr
Freitag 8.00 - 13.00 Uhr

Telefon:
(03 41) 2 55 55 00
Telefax
(03 41) 2 55 55 55

Zu erreichen:
mit Straßenbahnlinien 3, 6 oder 8 bis Endstation Sommerfeld
über Autobahn A 14, Abfahrt Leipzig-Ost / Engelsdorf

Die folgende Erzählung ist insbesondere meiner Tochter Astrid Ulrike Elisabeth gewidmet. Im weiteren Sinne widme ich diese fast in allen Punkten wahre Geschichte der Genealogie einer großen Familie, an deren Spitze Katharina von Bora als selbständige, geachtete und verehrte Frau und geliebte Mutter hervorragt, allen Frauen dieser Welt.

Zu danken habe ich Herrn Dr. med. Thilo von Haugwitz für mehrere bedeutende genealogische und literarische Hinweise, Herrn Gerolf Fiedler in Deutschenbora für viele historische Fakten, Frau Martina Wermes von der Deutschen Zentralstelle für Genealogie in Leipzig für die schwierige Prüfung und grundlegende Ergänzung von genealogischen und historisch-literarischen Belegen und meiner verstorbenen Mutter, einer geborenen Martha Lindemann, die die „Tischreden" von 1568 mit der besagten Leichenpredigt wie einen Augapfel in schwerer Zeit behütet hat.

Berlin, im März 1999

Wolfgang Liebehenschel
Berlin und Görlitz

DER LANGSAME AUFGANG DES MORGENSTERNS VON WITTENBERG

Freudentränen stiegen ihm auf, als Kurfürst Friedrich II. von Sachsen, genannt der Sanftmütige, in seiner Residenz Torgau durch seinen jungen Sohn, den Kurprinzen Ernst erfuhr, daß der Hochedelgeborne, Gestrenge und Veste Herr Heinrich von Schönberg zu Rothschönberg, nun, nach Jahren des Brautwerbens, endlich ein weibliches Herze gefunden hatte – die junge, Hoch-Edelgeborene Elisabeth Pflugk aus dem Hause Zschocher. Sie gehörte zum sächsischen Uradel, dessen Angehörige dem seit 1428 regierenden Kurfürsten meistens persönlich bekannt waren, wußte er doch, daß die Adelsleute von Pflugk die fruchtbaren Ländereien in den südlich von Leipzig gelegenen Auen der Weißen Elster und der Pleiße bis zu dem nördlich der Messestadt gelegenen Gohlis besaßen und einen nicht zu übersehenden Machtfaktor bildeten. Schon 1383 erwarb der Ritter und Böhmische Rat Otto von Pflugk Lamperswalde und 1384 auch die nahe der Residenz gelegene Burgherrschaft Strehla an der Elbe hinzu, bald auch Frauenhayn, 1397 Zabeltitz und 1419 sogar noch Tiefenau. So saßen die Herren von Pflugk fast vor den Toren von Torgau.

ABB. 12: DENKMAL FRIEDRICH I. VON SACHSEN, DOM ZU MEISSEN, MARKGRAF BIS 1423, KURFÜRST BIS 1428

Sie waren bereits dem Markgrafen und späteren kurfürstlichen Vater des Sanftmütigen, Ihro Gnädigster Durchlaucht Friedrich I. dem Streitbaren, der im Jahre 1423 das Kurfürstentum Sachsen-Wittenberg erworben hatte, gute Bekannte.

Sie hatten nacheinander Kurfürst Friedrich I. und seinen Sohn, Friedrich II., beraten, als diese nach dem Aussterben der Burggrafen von Meißen im Jahre 1426 den größten Teil ihrer Besitzungen mit Frauenstein und 1429 auch die Burggrafschaft Altenburg erwarben. Sie kämpften als Ritter an ihrer Seite, als in den nächsten Jahren die Lande aufs schwerste unter den Hussiteneinfällen litten, namentlich 1429 und 1431. Seit dem Jahr 1427 war sein Sohn Otto, der land- und markgräfliche Rat, schon Erbsasse auf Strehla, und sein Enkel, Hans Pflug, wurde 1440 Herr auf Strehla-Trebnitz. Mit seinem Bruderherz Georg, den sie alle Jurge riefen, besaß er je die Hälfte von Lamperswalde. Jurge war 1431 geboren, besaß Strehla-Görzig und wurde der Begründer der Pfluglinie Posterstein. Auf ihn hatte es die fast gleichaltrige Elisabeth ursprünglich abgesehen. Aber so eine Verwandtschaftsheirat barg doch ein gewisses Risiko. „Wenn ich kein anderes Glück finde – Reserve hat Ruh“, dachte sie. Aber nun kam es ganz anders.

ABB. 13: DENKMAL FRIEDRICH II. VON SACHSEN, DOM ZU MEISSEN, KURFÜRST VON 1428 BIS 1464

Friedrich II. sah jetzt jede Hochzeit gern, brauchte er doch neue, frische Leute im Sachsenlande. – Was wußte der Kurprinz Ernst nicht alles zu erzählen? Hatte er diese Neuigkeit von seinem Messebesuch? Oder vom Hofadel?

Die Leipziger Frühjahrsmesse des Jahres 1449 hatte den begüterten Heinrich von Schönberg, der Erdmannsdorf besaß und dem alten, bei Hofe geschätzten Adelsgeschlecht von Schönberg angehörte, wohl in die Handelsstadt gezogen, wo

Abb. 14: Denkmal Bischofs Dietrich von Schönberg, Dom zu Meissen, gest. 1467

er im Kreise der jüngeren Adligen und kurfürstlichen Gesandten die Hoch-Edelgeborne, jung erblühte Elisabeth entdeckt hatte. (Nicht überliefert ist, ob die Kurprinzen Ernst und Albrecht dabei waren).

Kaum achtzehn Jahre zuvor hatten die Hussiten grauenhaft gewütet, waren bis Taucha vorgestoßen, hatten Leipzig berannt und die Dörfer und Rittergüter niedergebrannt. Im Januar 1430 belagerten sie die Festung Torgau, konnten diese nicht erstürmen, verwüsteten aber dafür Schloß Planitz und das Städtchen Werdau. Aber auch Elisabeth Pflugks Elternhaus, der Sitz und die Herrschaft Zschocher, waren hart belagert worden, denn sie lagen nicht weit weg von Leipzig. Tausende tapferer Sachsen fielen in den schweren Abwehrkämpfen, Abertausende von Rittern, Bürgern und Bauern waren gemordet worden. Noch 1438 war Krieg, und der sächsische Lehnsmann Albrecht von Haugwitz wurde nach der Schlacht bei Brix gegen die Hussiten zum Ritter geschlagen.

Abb. 15: Ein Sächsischer Prinz zu Pferde

Die schöne Elisabeth konnte die Veste Stadt Leipzig schon nach gut einer Stunde zügigen Rittes erreichen, wenn sie am frühen Nachmittag nur immer ihrem Schatten entlang der Elster folgte. Anmutig im Damensitz reitend, hatte sie den Edlen Heinrich einen Moment zu lange angeschaut und vom Messegeschehen abgelenkt. Flugs hatte er ihr – ganz der höfischen Etikette folgend – eine Rose zugeworfen. Als sie am Abend nach Zschocher aufbrach, war sie von ihm mit einem Handkuß verabschiedet worden, was dem jungen Adelsfräulein die Röte ins Gesicht getrieben hatte. Heinrich hatte es noch gemerkt, als sie ihr Pferd schnell wendete. Ihr munterer Blauschimmel kannte den Weg zum Rittergut Zschocher wie von allein, und hastig ritt sie aufgewühlten Gemütes dahin. Wie könnte, wenn sie Erbin würde, der so weit auseinanderliegende Besitz beider zusammenkommen? Sie, Elisabeth, hier bei Leipzig, er, Heinrich von Schönberg auf Erdmannsdorf? Hatte ihr Heinrich nicht nachgerufen, kein Problem? Seine Großtante, eine Schwester des Bischofs Caspar von Schönberg auf Rothschönberg, Reinsberg, Neukirchen und Nössige nahe Meißen, habe doch auch vor ...zig Jahren den Günther von Haugwitz geheiratet, der vor gut 25 Jahren – 1422 – auf Schloß und Herrschaft Flößberg saß – und alles sei gut gegangen. Sie müßte zwar weg von Zschocher, aber bei den Eltern Pflugk bliebe doch Nicolaus, ihr Bruder. Auch Heinrich hatte zwei Brüder, den jüngeren Caspar von Schönberg und den einflußreichen Dietrich von Schönberg. Dieser hatte es sogar schon zum mächtigen Bischof zu Meißen gebracht! Eine starke, hochgestellte und angesehene Familie. – Diesen Heinrich von Schönberg wollte sie wohl nehmen!

Zschocher war eine beachtliche Herrschaft, und ihr Vater, der reichbegüterte Ritter Hans Pflugk, war meißnischen Uradels. Meilenweit reichte sein Landbesitz und stieß im Westen bis fast an die Herrschaften von Miltitz, von Pristeblich und Burgwerben bei Weißenfels an der Saale. Im Süden tangierten die Felder beinahe die Besitzungen des Ritters Kaspar von Haugwitz. Dero von Haugwitz hatte schon 1427 auf Stontzsch gesessen, wohingegen sein Vater, der Ritter Günther von Haugwitz, um 1410 auf Neukirch und 1422 auf Schloß und Herrschaft Flößberg noch weitab von den Pflugk'schen Besitzungen saß. Letzterer war mit einer Tochter des Hoch-Edelgebornen, Gestrengen und Vesten Herrn Caspar von Schönberg verheiratet, der – wie gesagt – Anfang des 15. Jahrhunderts Schloß und Rittergut Rothschönberg an der Großen Triebisch mit Reinsberg und Nössige, nahe Deutschenbora besaß. Er gehörte zu den Räten des Kurfürsten. Dresden war nicht weit von dort. Derer von Schönbergs Feldmark stieß direkt an die Ländereien des bergbaureichen Zisterzienserklosters Altenzella.

Die „Karte der Umgebung von Leipzig" im Vorwort, skizziert im Jahre 1813, zeigt die Pflug'schen und Haugwitz'schen Besitzungen in ihrer Größe und Ausdehnung, Mark Cleeberg liegt südlich von Leipzig, Flößberg und Taucha östlich.

ABB 16: DIE SEIT DEM JAHRE 1231 BESTEHENDE LEIPZIGER DOMINIKANER-KLOSTERKIRCHE, GENANNT ST. PAULINER-UNIVERSITÄTSKIRCHE, IM JAHRE 1968, GESPRENGT DURCH BANAUSEN IM SEPTEMBER 1968, NEBEN DER UNIVERSITÄT ZU LEIPZIG

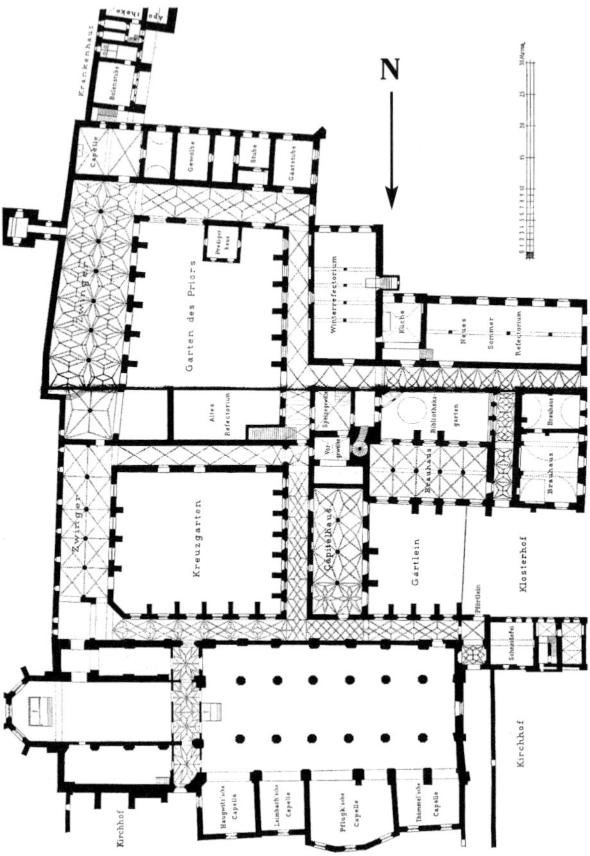

ABB. 17: LEIPZIG, GRUNDRISS DES PAULINER-KLOSTERS MIT DEN GRABKAPELLEN VON PFLUGK UND VON HAUGWITZ (SIEHE NORDSEITE DER PAULINER-KIRCHE) UNTEN IM BILD, ANBAUTEN

Des Ritters Kaspar Haugwitz's Sohn, Hans von Haugwitz, war sogar „Canzler“ von Kurfürst Friedrich II. geworden. Ihn und seine Brüder belehnte Friedrich am 23. März 1437 zu Leipzig erneut mit Cleeberg, Mölbitz, Rüben, Flößberg und Taucha, dem etwa 56 Dörfer zugehörten. Hinzu kamen noch Schloß und Herrschaft Burgwerben an der Saale, westlich der Pflugk'schen Landgüter, sowie Hirschstein an der Elbe und Putzkau, östlich von Dresden. Im Jahr 1449 nahm Kaspar von Haugwitz seinen Sitz auf Cleeberg und Rüben in der Pleißeaue, so daß von Haugwitz's die Feldmark derer von Pflugk bei Zöbigker auch im Osten direkt berührten. Im gleichen Jahr baute der Ritter Hans von Haugwitz auch eine Begräbniskapelle neben der Marienkapelle derer von Pflugk an die Nordwand der Leipziger Paulinerkirche – ein Zeichen seiner Frömmigkeit. Beide Kapellen waren nur durch die Begräbnisnische dero Edlen von Leimbach getrennt, kaum 15 Schritte auseinander. So waren die beiden Geschlechter im Leben wie im Tode benachbart. War das eine Verheißung für das zukünftige Leben? Ein Testament des christlichen Friedenswillens für die kommenden

ABB. 18: GOTISCHER ZIERGIEBEL DER BEGRÄBNISKAPELLE DERER VON PFLUGK, 1393, AN DER PAULINERKIRCHE IN LEIPZIG, KOLORIERTE ZEICHNUNG VON C. B. SCHWARZ 1790

Generationen? Auf jeden Fall kannte man sich, sah jedes neue Grab der Nachbarn und berührte sich mit seinen Gefühlen in Schmerz und Leid.

Die Edlen von Pflugk taten gut daran, mit den Edlen von Haugwitz engere Freundschaft zu suchen, zumal auch dero Verwandter, Georg von Haugwitz, am 28. Mai 1446 – nach dem Tode des Bruders – feierlich zum allmächtigen „Canzler“ von Friedrich II. von Sachsen aufstieg, der zweite von Haugwitz!

ABB. 19: RITTER NICKEL RFLUGK
IN DER PAULINER-KIRCHE VON LEIPZIG
GEST. 1482 (1968 BESEITIGT),
JETZT IN DER THOMASKIRCHE

Elisabeths Bruder, Nickel von Pflugk im nahen Knauthayn, hatte bei Georg von Haugwitz am Hofe zu Torgau eine beachtliche Würdigung erfahren, avancierte er doch 1447 zum Kriegshauptmann des Kurfürsten. Nicolaus, die Familie nannte ihn Nickel, war auch Amtmann zu Leipzig, Borna und Groitzsch geworden. Sein Einfluß war noch mehr gewachsen, als Familie von Haugwitz erfuhr, daß er die Hoch-Edelgeborne Annen von Schleinitz heirate, denn die Gestrengen und Vesten Adelsleute von Schleinitz saßen dicht an der Elbe in der Pflege Lommatzsch und waren schneller beim Kurfürsten als man denkt. Zudem war Annen von Schleinitz's Bruder, Ritter Hugold von Schleinitz, ein Marschall des Kurfürsten. – Auf alle Fälle gehörte man als Pflugk an die Elbe zwischen Torgau und Dresden, um in dem erst 1423 entstandenen Kurfürstentum Sachsen weiterhin mitreden zu können.

Elisabeth war in Heinrich von Schönberg, der viel in Stollberg zu tun hatte, nicht nur verliebt, sondern war sich bewußt, daß er aus einflußreichem Hause stammte. Heinrich von Schönberg besaß Erdmannsdorf und erhielt 1477 die Erzgebirgsstadt Stollberg östlich von Zwickau. Elisabeth konnte noch nicht ahnen, daß er später, nach dem Tode des Bischofs Dietrich von Meißen (†1476), mit dem Bruder Kaspar die Lehen über die Sachsenburger und Stollberger Güter empfangen wird. Auch, daß er fürstlicher Hauptmann zum Schellenberge werden sollte und später die Verwaltung des Amtes Zschopau und die Aufsicht über das Amt Wolkenstein erhielte, war noch in den Sternen. Die Zukunftsmusik, daß ihm Herzog Albrecht auch Zwönitz, Auerbach, Niederndorf, Brünlos, Ober- und Niederüberseinz (Würschnitz) und andere als Lehen übertragen würde, konnte Elisabeth auch noch nicht hören. Sie fühlte, daß „ihr" Heinrich bei Hofe eine hochgestellte Persönlichkeit werden dürfte. Und er sollte sogar bis zum Jahre 1505 leben!

ABB. 20: SO ETWA SAHEN DIE ADELSLEUTE ELISABETH VON PFLUGK UND HEINRICH VON SCHÖNBERG AUS, ALS SIE SICH UM 1449 KENNENLERNTEN. – STICH 90 JAHRE SPÄTER VON HEINRICH ALDEGREVER

Elisabeth Pflugk, die nicht einmal mehr das Adelsprädikat 'von' zu führen brauchte, konnte sich doch mit ihrem Heinrich von Schönberg bei Vater in Großzschocher sehen lassen. Und Ritter Hans Pflugk würde sicherlich nicht „nein" sagen. Ein bißchen wollte sie doch ihren Bruder Nickel nicht allein Karriere machen lassen, sondern mit Gottes Hilfe und ein wenig Dickköpfigkeit und weiblicher Logik ihren eigenen Beitrag zur Erhaltung der Familientradition einbringen. So ein Mann aus hochadligem Hause – mit dem konnte sie wohl dem Hause Zschocher alle Ehre machen. Und auch Nachkommen waren jetzt gefragt, gerade nach den Hussitenkriegen.

Elisabeth wußte, daß Schloß und Herrschaft Zschocher ein Ort war, dessen Geschichte weit in slawische Vorzeit reichte. Der Name Zschocher kam her von dem slavischen „Choho", das da heißt, „wessen Berg?", und es ließ sich daraus erklären, daß der Slawenstrom von Osten her, der seinen Zug durch die Aue der Weißen Elster nahm, um sich hier anzusiedeln, dort schon Niederlassungen vorfand. Mit deren Bewohnern in Streit geraten, überließ man ihnen die Anhöhe zur Bebauung. Den christlichen Glauben nahmen die hier dann ansässigen Slawen, die wohl Wenden waren, erst spät und nach langem Widerstand an. Darüber klagte noch der Bischof Ditmar von Merseburg, und dessen Nachfolger, Bischof Wigbert, predigte im Jahre 1015 sogar in slawischer Sprache. Die Pflugk's waren wohl schon dort, als das alles passierte, gehörten sie doch zum Heerbann der meißnischen Markgrafen, die im Zehnten Jahrhundert bereits das Land bis hinter Meißen in Besitz genommen hatten, wie die Karte am Ende „Das Gebiet des Bistums Meißen im 10. und 11. Jahrhundert" zeigt.

Aber auch Frömmigkeit zeichnete die Familie aus. Der alte Ritter Pflugk war ebenso ein Förderer der schönen Künste wie der Baukunst. Die älteren Gebrüder Dam und Hans, ihr Vater, oder bereits Elisabeths Großvater, bauten im Jahre 1393 der Nordseite der Leipziger Dominikaner-Kloster-Kirche jene zuvor erwähnte hochherrschaftliche, gotische Kapelle an, die sie der Gottesmutter Maria weihten – die Marienkapelle –, ein Erbbegräbnis, das sie gegen gutes Geld von den Pauliner-Klosterbrüdern geistlich betreuen ließen.

Auch die kleine Elisabeth, jungfräulich, selbstbewußt und sicher, ihren Bräutigam gefunden zu haben, wird oft manche Seelenmesse und Trauerfeier in der familieneigenen Marienkapelle miterlebt haben. Jetzt aber – nach dieser gefühlsbewegenden Begegnung mit Heinrich von Schönberg auf der Frühjahrsmesse 1449 – hing sie im siebten Himmel, und Herr Heinrich ging auf Freiersfüßen.

Bald hatten das Schloß und die Herrschaft Zschocher festliche Tage. Ein wahrhaft großes Ereignis! Eine Tochter des adligen Geschlechtes der Ritterfamilie von Pflugk, Elisabeth Pflugk, heiratet den jungen, in der kurfürstlichen Residenz nicht unbekannten, strebsamen Heinrich von Schönberg aus Rothschönberg! Da kam etwas zusammen.

Die beiden reichbegüterten, jungen Brautleute sahen sich vor einer herrschaftlichen Laufbahn, die direkt im kurfürstlichen Schloß in Torgau enden konnte, wenn – ja wenn ihnen der Kurfürst gnädig zugeneigt war und sie die Gunst der Söhne seiner Gnaden, besonders aber des unternehmungslustigen Kurprinzen Ernst und des ihm brüderlich verbundenen Herzogs Albrecht zu gewinnen vermochten. Die waren zwar noch Knaben, aber die Macht war ihnen durch die Erbschaft des Kurfürstentums sicher, wenigstens einem von beiden. Und beide benötigten bei Hofe aus ökonomischer Sicht ergebene, dynamische und gewandte Adelsleute.

Zur Hochzeitsfeier durften sie den Fürsten mit Kurfürstin Margarete und Prinzen nur über ihre Hoch-Edelgebornen und Gestrengen Eltern einladen, aber der feierliche Rahmen konnte von den Brautleuten selbst geschaffen werden. Hausmacht war zu zeigen! Zudem sollte es ein schönes Fest werden! Heinrich entschied sich für die Einladung allen adligen Urgesteins derer von Schön-

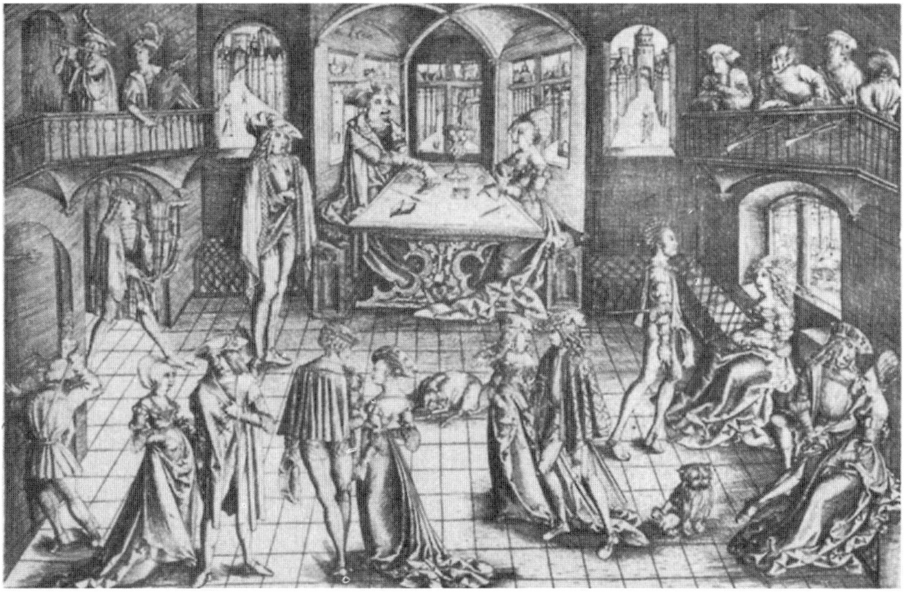

ABB. 21 MEISTER M. Z.: DAS TANZFEST

berg auf Rothschönberg und anderenorts, dazu deren Lehnsmannen, wie die Ritter von Bora, die Truchseß's von Wellerswalde, die von Reinsberg, von Hirschfeld u.a.m., saßen sie doch einflußreich recht nahe bei Dresden an der Elbe und bei Meißen an der Großen Triebisch. Der hohe Klerus im Dom zu Meißen und auf St. Afra hatte beim Regierenden ebenfalls tüchtig mitzureden!

Elisabeth wollte das Geschlecht derer von Pflugk einladen, jene auf Lamperswalde, auf Strehla, Görzig, Frauenhayn, Zabeltitz und Tiefenau, jene um Leipzig herum und die anderen auf Posterstein. – „Bei einer solch' hochherrschaftlichen Versammlung der Hoch-Edelgeborenen Familien würden doch sicherlich auch die Fürstensöhne kommen,“ sinnierte Elisabeth. Eingeladen aus der Nachbarschaft wurden auch die Adelsleute von Haugwitz, deren beträchtliche Neuerwerbungen bei Cleeberg und Rüben eine starke Freundschaft versprachen. Auch die Studiosis und Baccalaureaes, die Doctores, Magistres und Professoren der erst 1409 gegründeten Leipziger Universität, deren aus Prag geflüchteten Freigeister und Mitbegründer noch dem Lehrkörper angehörten, sollten etwas zu schauen und mitzufeiern haben. Und die vielen Freunde und Freundinnen hatten wieder eine Gelegenheit, einen Partner zu finden. Musik und Tanz war angesagt!

Abb. 22: So werden Elisabeth Pflugk und Heinrich von Schonberg eine Gavotte getanzt haben – Stich 90 Jahre später

Schon neigte sich die Herbstmesse 1449 ihrem Ende zu, der Baustaub der neu der Pflugk'schen Marienkapelle zugesellten „Haugwitzkapelle“ an der Nordseite der St. Paulinerkirche hatte sich gerade gelegt, als der feierliche Hochzeitszug derer Hoch-Edelgebornen, Gestrengen und Vesten Geschlechter von Pflugk, von Pflug und derer von Schönberg in die schöne Hallenkirche der Dominikaner, die schon im Jahre 1231 vom Orden errichtet worden war, einzog.

Ein gotisches Netzgewölbe spannte sich wie ein hohes Himmelszelt über die weißverschleierte Elisabeth und ihre Eltern hin. Hinter ihr ging, gemessenen Schritts, ihr Bräutigam mit seinen adligen Eltern und den Edlen derer von Schönberg. Im Schreiten zum Altar schien die schöne Braut einen Augenblick zu zögern, als sie, mit einer nach links gerichteten, leichten und ehrfürchtigen Verbeugung zu ihren in der Familiengruft ruhenden, längst verstorbenen Ahnen hinübersah. Ihr letzter Blumengruß war noch nicht verwelkt und ihr stilles Gebet um den Segen der Vorfahren zu dieser Ehe mit Heinrich von Schönberg war tief und voller Dankbarkeit. „Ich danke euch, daß ich bin“, hatte sie geflüstert.

ABB. 23: DIE PAULINER-KIRCHE, NORDSEITE, IM 17. JHDT., LITHOGRAPHIE
1. HÄLFTE 18. JHDT. HAUGWITZ-KAPELLE LINKS NEBEN DER PFLUG'SCHEN KAPELLE.
UNTEN: ABB. 24: BOGENÖFFNUNG AN DER HAUGWITZSCHEN BEGRÄBNISKAPELLE,
NORDSEITE DER LANGHAUSHALLE DER UNIVERSITÄTSKIRCHE, 1897 ENTDECKT

– Auch Heinrich hatte Tage zuvor seine Einladung in Rothschönberg überbracht und in der Schönberg'schen Kapelle neben der Klosterkirche in Altenzella noch einmal seine verstorbenen Lieben besucht und sie in Demut um ihren Segen gebeten. Denn erst nach diesem Gedenken konnte die rechte Freude frei werden. Es geschah sehr bewußt und war keine Pflichtübung. Ihre privaten Kapellen hatten sie letztendlich der stillen Andacht wegen errichtet, um mit Gott, Maria und Christus allein zu sein.

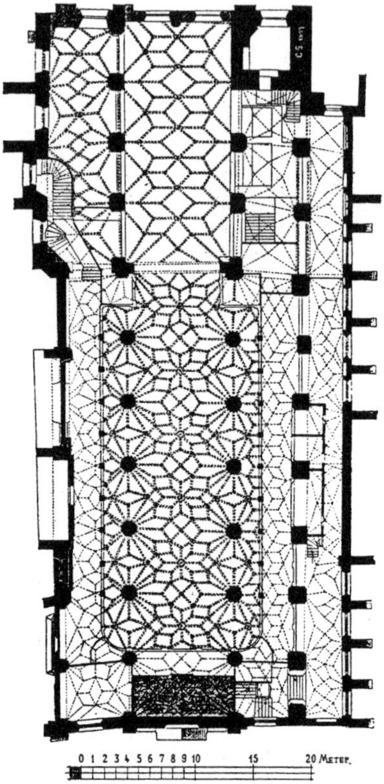

ABB. 25: PAULINER-KIRCHE LEIPZIG MIT GOTISCHEM NETZGEWÖLBE, NACH ABBRUCH DER KAPELLEN AN DER NORDSEITE

Mit Indulgenz des Papstes in Rom!

So begütert waren die beiden Adelshäuser, daß sie sich bei ihrer ständigen Suche um Gnade vor Gott und um Gottesnähe eigene Kapellen in den Kirchen leisten und ewige

ABB. 26: EINGANG ZUM SOMMERREFEKTORIUM DER ZISTERZIENSER-ABTEI ALTENZELLA UM 1450, JETZT STADTKIRCHE NOSSEN

ABB. 27: ALTENZELLA, EIN FLÜGEL DES KLOSTERS, WINTERREFEKTORIUM

Messen lesen lassen konnten. Und die Dominikaner und Zisterzienser trauten ein solch' herrschaftliches Paar gern, denn die Klosterkasse füllte sich hierdurch ergiebig. Auch die Gebäude bedurften der baulichen Unterhaltung. Die kostete Geld, viel Geld.

Feierlich und glücklich konnten sich deswegen die Brautleute ihr Ja-Wort geben. Und als jetzt der Hochzeitszug vor das Portal trat, schien das Brausen der Orgel und der Stimmen des jubelnden Volkes fast die Ohren zu sprengen.

Wenige Jahre später, es muß wohl 1455 gewesen sein, wurde dem Paar das Töchterchen Anna geboren, das nun Heinrichs Liebling wurde. Bald war es auch ein Söhnchen namens Johann (später Bischof zu Naumburg). Heinrich von

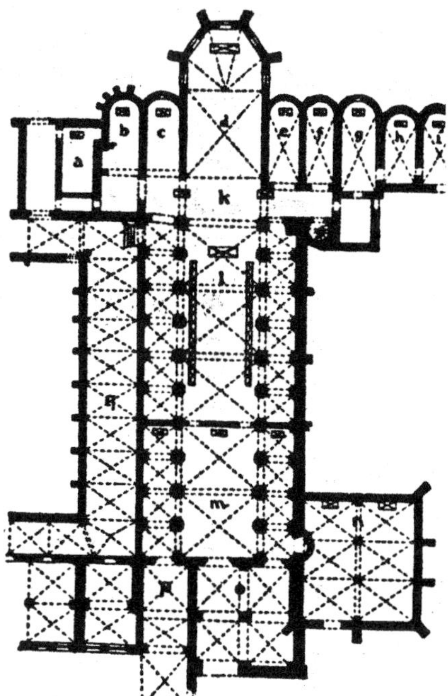

ABB. 28: VERSUCH DER REKONSTRUKTION
H, I) SCHÖNBERG'SCHE KAPELLEN
P) TRUCHSESS-KAPELLE VON BORA

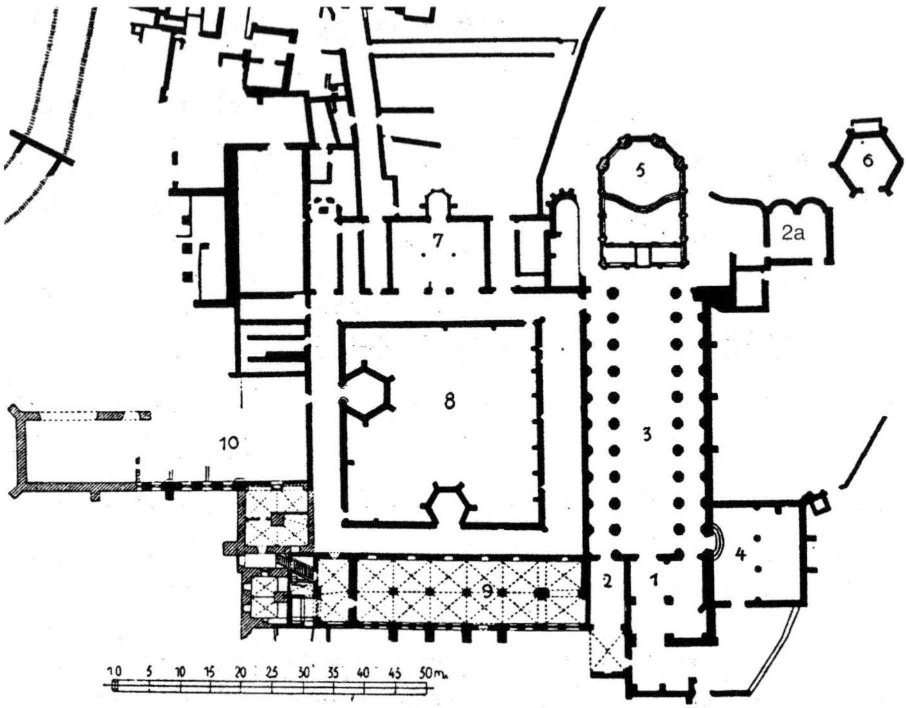

Abb. 29: Aufmessung der Klosterruine aus der Zeit um 1800.
2a) zwei Kapellen derer von Schönberg
4) Andreaskapelle mit Grabliege des Ritters Hans von Mergenthal d.J., des Onkels der Katharina von Bora, gestorben 1506
2) Kapelle derer von Bora

Schönberg saß bald im Städtchen Wilsdruf und dem nahen Schloß Rothschönberg, wo er seinem herzoglichen Gönner, Albrecht dem Beherzten, in Dresden näher war als in Stollberg.

Seine Herkunft aus dem kursächsischen Lehen und Bergbaugebiet, wo Erz, Kupfer, Silber und Gold gefunden und abgebaut wurden, sicherte ihm die Gunst des sächsischen Hofes allemal zu. Der Herzog brauchte ihn zum wirtschaftlichen Aufbau des Landes nahe bei sich an der Elbe.

Anna von Schönberg und die anderen Kinder wuchsen an der Seite ihrer Mutter fröhlich auf, sahen die Ritterspiele auf der Stechbahn des Dresdener Schlosses, fingen die kleinen Fische im Neukirchener Bach und in der Großen Triebisch und weilten oft still in der uralten, bereits 1214 erwähnten Dorfkirche von Hirschfeld oder an den Gräbern der verstorbenen Verwandten in der Schönberg-Kapelle des Zisterzienserklosters im benachbarten Altenzella. – Geistlich und geschäftlich ging es in der großen Abtei mit den vielen Priester- und Laienmönchen zu. Die Klostermark erstreckte sich bis an die Schönberg'sche Feldflur beim Dorf Hirschfeld und bei Reinsberg. Umgeben von deren Hoch-Edelgebornen Herrschaften von Heynitz, von Miltitz, von Piskowitz, von Taubenheim und den Rittern von Bieberstein und Berbersdorf, von Gruna und von Raußlitz, fand sie hier jene kindlichen Gespielinnen, die so ganz der Art ihres adligen Elterhauses zu Rothschönberg entsprachen. Die Augen werden auch oft auf dem gotischen Altar mit den Gestalten der Maria mit dem Jesuskind und den beiden Aposteln in ihrer Schloßkapelle geruht haben.

Die Gebrüder von Haugwitz in der Leipziger Nachbarschaft der Eltern von Pflugk auf dem Sitz Zschocher – sieben Brüder und fünf Vettern sind es – besaßen inzwischen um 1460 die ostwärts der Pleiße ans Pflugk'sche angrenzenden Lehen Cleeberg, Rüben, Mölbitz, Flößberg sowie westlich, an der Saale, Burgwerben, das ferne Schloß Hirschstein und die Landgüter Haubitz bei Borna,

ABB. 30: RITTERGUT ROTHSCHÖNBERG, ANSICHT VON SÜDEN

Haugwitz, Beucha und rund 56 Dörfer um Taucha und hatten großen Einfluß am Hofe. Canzler Georg von Haugwitz, der eigentlich Geistlicher war – zuletzt soll er am 19. September 1463 Bischof von Naumburg geworden sein –, hatte die Jahre zuvor genutzt, um Sachsen voran zu bringen. Er erhielt am 28. September 1461 Schloß und Herrschaft Hirschstein erneut als Lehen. Praktisch aber war er stets auf Dienstreise.

Ritter Jahn von Haugwitz aber – sein naher Verwandter – verwaltete Hirschstein und wurde infolge des Bischofs Tod

Abb. 31: Rothschönberg Nähe Deutschenbora, Schloss von Nordosten, Sitz des Geschlechts von Schönberg

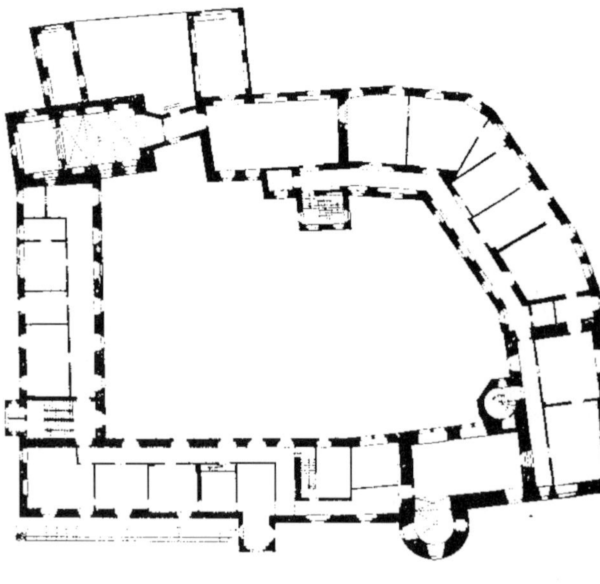

Abb. 32: Grundriss des Schlosses Rothschönberg, aus dem Anna von Schönberg stammt, geb. um 1455.

am 1. Oktober 1463 sein Nachfolger auf Hirschstein an der Elbe. Ein Bruder, Georg d.J., war inzwischen mit Christina von Pflugk, einer Tochter des Nicol von Pflugk verheiratet, der Bruder Kaspar von Haugwitz d.J. (*1458, †1532) mit Katharina von Miltitz. In so großer Nähe von Meißen und Dresden war Ritter Jahn in puncto Rufbereitschaft für den Herzog Albrecht gegenüber dero auf Schönberg bei Deutschenbora und von Pflug auf Strehla nicht im Nachteil. Klu-

ABB. 33: RITTERGUT UND SCHLOSS ROTHSCHÖNBERG,
SCHLOSSKAPELLE MIT ALTARBILD VOR 1500
(UM 1800 DURCH EGON VON SCHÖNBERG-ROTHSCHÖNBERG WIEDERHERGESTELLT)

ge und begüterte Köpfe waren in Dresden und Torgau gerade jetzt besonders gefragt, weil Ernst und Albrecht mit neuem Elan an die Macht strebten. Und der alternde Kurfürst sah es gern, daß seine Söhne, Kurprinz Ernst und Prinz Albrecht, sich mit unternehmungsbewußtem Adel und neuen Ideen umgaben.

Jahn von Haugwitz hatte es kaum eineinhalb Stunden schnellen Rittes bis Meißen. Unter seiner Gerichtsbarkeit und Herrschaft standen die Dörfer Bahra, Kobeln, Leckwitz, Mertitz, Dennschütz, Ibanitz, Arntitz, Berntitz,

Glaucha, Weissig , Nimtitz, Böhla, Winndorf, Wuhnis, Ottewig, Garfebach und andere. Jahn wußte, daß lange vor ihm auf Hirschstein schon ums Jahr 800 zum Schutze des Meißener Landes christliche Panire saßen. Die uralten Orte Zadel, Zehren, Meißen, Siebeneichen, Scharfenberg, Niederwartha, Prießnitz etc. waren die an der Elbe gebildete Defensionslinie, die der „In-Zaumhaltung" der unter Markgraf Heinrich gedemütigten Daleminzier und auch der Strombeherrschung der Elbe dienten.

Abb. 34: Schloss Hirschstein/Elbe. Sitz des Geschlechts von Haugwitz von 1461 bis nach 1499

Der junge Ritter Jahn von Haugwitz richtete sich ein.

Die Glocken im Sachsenland und in Thüringen läuteten die Staatstrauer von Ort zu Ort weiter. Tagelang bekreuzigten sich die Menschen. Das Volk konnte es noch nicht fassen: der nun schon 36 Jahre regierende, geachtete, noch nicht einmal alte Kurfürst, Friedrich II. der Sanftmütige, andere nannten ihn „der Gütige", war am 7. September 1464 – mit erst 52 Jahren – heimgegangen. Schweres hatte er erlebt, begann er doch seine Regentschaft schon als 16-jähriger mitten im Krieg mit den Hussiten. Einen seiner drei Brüder, den Herzog Heinrich, hatte er 1435 jung sterben sehen. Sigismund mußte er wegen neidischer Rebellion im Jahre 1437 festnehmen lassen, und als der auch von 1440 bis 1443 als Bischof von Würzburg nichts taugte und wieder stänkerte, beschloß die kurfürstliche Familie, ihn auf Festung zu setzen, wo er bis zum Tod im Jahr 1463 bleiben mußte. Bruder Herzog Wilhelm III. von Thüringen verwickelte Friedrich II. sogar in einen Bruderkrieg, der erst durch eine kräftige Mahnung des Kaisers beendet wurde. Wilhelm raubte ihm 1455 kurzfristig auch noch seine beiden Söhne, die Prinzen Ernst und Albrecht, was Kurfürstin Margarete, eine Schwester des Kaisers Friedrich III., fast zum Wahnsinn trieb.

Die Trauerfeier für Friedrich II. von Sachsen im Dom zu Meißen, wo ihm mehrere Kurfürsten, Erzbischöfe, viel Adel und eine riesige Volksmenge die letzte Ehre erwiesen, war ein einziger Schmerz. Seine Gruft wurde alsbald mit einer künstlerisch aufs Schönste gestalteten Grabplatte geschlossen. Am 17. Januar 1463 war ihm ein letztes Glück beschieden: er durfte noch die Geburt des Enkelchens Friedrich III., der später „der Weise" genannt werden sollte und der Beschützer des Reformators Martin Luther wurde, erleben. Hatte er gebetet, „Herr, nun lässest Du Deinen Diener in Frieden fahren, denn meine Augen haben den Heiland gesehen?"

Jäh brach nun über die Kurprinzen Ernst und Albrecht die Verantwortung herein. Als erstes teilten sie sich das Kurfürstentum Sachsen in ein Kurfürstentum Sachsen und ein Herzogtum Sachsen auf – in testamentarischer Verpflichtung – jedoch in einem gespannten Verhältnis zueinander. Der Vater bestimmte, daß sie gemeinsam regierten. Herzog Albrecht, den man „den Beherzten" nannte, suchte einen fähigen, ökonomisch und politisch talentierten Canzler für seine Residenz Dresden, denn sein hoher Bruder, der Kurfürst, übernahm zunächst den Canzler des toten Vaters.

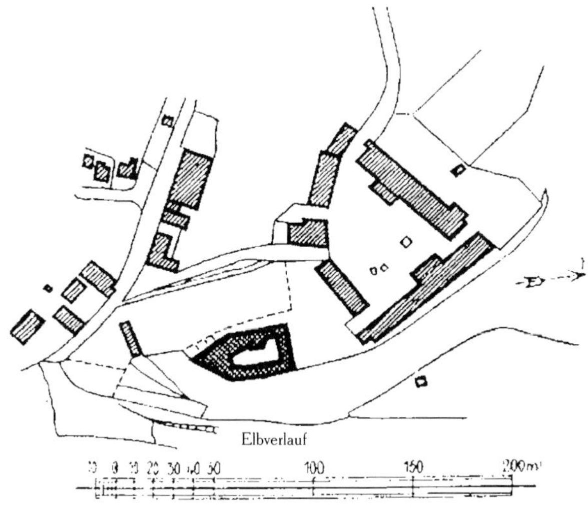

ABB. 35: LAGEPLAN DES SCHLOSSES HIRSCHSTEIN

In Zwickau fand er einen geschulten und begabten Patrizierssohn, den reichen Bürgerlichen Hans Mergenthal. Der besaß auch das Rittergut Marienthal, das seiner Familie ihren Namen gab. Er lebte in seiner Vaterstadt und traute sich juristisch sowie wirtschaftlich zu, was der Adel bei Hofe nicht in den Griff bekam. Durch Bergbau reich geworden, leistete er sich auch einen Sitz in Freiberg und gewann schnell das Vertrauen der Ehefrau Albrechts, Hoheit Herzogin Zedena. Sie war die Tochter des von den Hussiten 1458 gewählten Böhmen-Königs Georg Podjebrad, der beim Papst als „der Ketzerkönig“ verschrieen war, immer noch ein Vertreter des über die Verbrennung des Reformators Jan Hus im Jahre 1415 aufs Bitterste verärgerten böhmischen Adels.

ABB. 36: DENKMAL DES KURFÜRSTEN VON SACHSEN IM DOM ZU MEISSEN, GEST. 1486

Ab 1464 steht Hans Mergenthal dem jungen Fürsten als Berater ständig zur Seite, sowohl in Verwaltungssachen als auch in der äußeren Politik. Zum Canzler ernannt, hatte er auch – obwohl kein gelernter Jurist – die Oberaufsicht über die Rechtspflege im Herzogtum. Die äußere Politik entwickelte sich problematisch, denn es galt, eine vorsichtige, neutrale Haltung bei dem Konflikt zwischen der Curie Roms und dem mächtigen böhmischen Nachbarn, dem König Podjebrad, einzunehmen. Da funkte natürlich dessen Tochter Sidonie (Zedena) beträchtlich mit hinein, die herzogliche Ehefrau. – Ja, leicht hatte er's nicht.

Der Oheim Albrechts, Wilhelm III., hatte sich beim Klerus dadurch schon politische Sympathie verschafft, daß er 1461 eine Pilgerreise zum Grabmal Jesu Christi nach Jerusalem unternahm. Albrecht hatte davon gehört, war aber noch zu jung und durch die Staatsgeschäfte zeitlich stets ausgebucht. Sein Ziel war es nun, den enorm fleißigen Canzler, Hans Mergenthal, durch eine Heirat –

eine gute Partie – in seiner Nähe fest zu verwurzeln, denn dem gerade etwa 35-jährigen war um 1464 – nach kurzer Ehe – die erste Frau gestorben. Mit Energie verwaltete der „Cantzler“ auch die Silberkammern, und seine Buchführung über die Hofhaltung, die Ausgaben und Einnahmen war vorbildlich. Von Kriegsgeschäften hielt er nicht viel, dafür war der Marschall Christoph von Bieberstein vom Schloß an der Bobritzsch gerade recht. Kritisch gegenüber der Kirche, war er trotzdem sehr fromm und gottesfürchtig.

ABB. 37: DENKMAL DES HERZOGS ALBRECHT VON VON SACHSEN IM DOM ZU MEISSEN, GEST. 1500

Auf dem Rittergut Rothschönberg war inzwischen Anna von Schönberg zu einem jungen Adelsfräulein herangewachsen. Als Albrecht seinen Canzler Hans Mergenthal im Jahre 1469 zum Landrentmeister und den Dr. Johannes Schybe zu „unserm Cantzler“ ernannte, war Anna knapp 15 Jahre jung. War es wohl bei einer dem Landrentmeister obliegenden Visitationen des Rittergutes Deutschenbora, dessen Flur ostwärts an die Herrschaft Rothschönberg und Neukirchen grenzt, daß er das muntere Ännchen kennenlernte, war es eine Reise nach Zwickau oder Freiberg oder zu den silberreichen Mönchen des westwärts von Hirschfeld angrenzenden Altzella? Dem Herzog Albrecht wird sein getreuer Landrentmeister die Geschichte mit Anna sicherlich alsbald „vertraulich" vermeldet haben. Seinen Reichtum demonstrierte er 1473 dadurch, daß er vom Rittergut Marienthal aus 1000 fl. zur Hälfte für Almosen und zur Hälfte für die Einrichtung der Jakobskapelle auf dem Rathause in Zwickau spendet. War es ein Zeichen gegenüber Annas adligen Eltern, besonders für Schwiegermama Elisabeth Pflugk a.d.H. Zschocher? War es die Kompensation eines Komplexes des bis dato noch Bürgerlichen?

Der kluge Herzog wurde nun sogar zum Ehestifter – aus ganz egozentrischen Gründen: Hannß Mergenthal belehnte er tatsächlich 1475 mit Deutschenbora, einem Teil des Dorfes Hirschfeld, Drehfeld, Tanne, Tanneberg, Neukirchen und einem Stück von Krummenhennersdorf. Damit wurde Hannß nominell zum Nachbarn dero von Schönberg. Zur Verwaltung verpflichtete Hannß Mergenthal wohl die adligen Lehnsmannen, wie Ritter von Hirschfeld, von Reinsberg, von Bora und andere, denn die kannten sich als Einheimische mit den örtlichen Verhältnissen bestens aus. Hans von Bora aus dem nördlichen Teil von Hirschfeld war ein besonders zuverlässiger Partner. Hans Mergenthal hatte mit Albrecht in Dresden zu regieren! Sein zweiter Wohnsitz Freiberg war zwar auch nahe, aber er mußte doch oft nach Torgau, wo beide Fürsten wohnten.

ABB. 38: HIRSCHFELD
BLICK IN DAS SCHIFF UM 1922,
SEIT UM 1499 UNVERÄNDERT

Die anmutige Anna hatte es ihm angetan. Jeder Grund wurde gesucht, um die Hoch-Edelgeborenen,

ABB. 39: HIRSCHFELD, URALTE DORFKIRCHE
NORDTÜR INNEN VON 1522

Gestrengen und Vesten von Schönbergs zu frequentieren, mal wegen eines Rates über Aussaat, Viehzucht oder Ernte, mal wegen einer Auskunft über Untergebene oder über den Zustand der Speicher und Scheuern. Anna kannte alles und alle, die von Bora, Reinsberg und Hirschfeld bis hinunter nach Nössige. Wilsdruff, der Schönberg'sche Stadtsitz, lag auch vor Dresdens Westtoren.

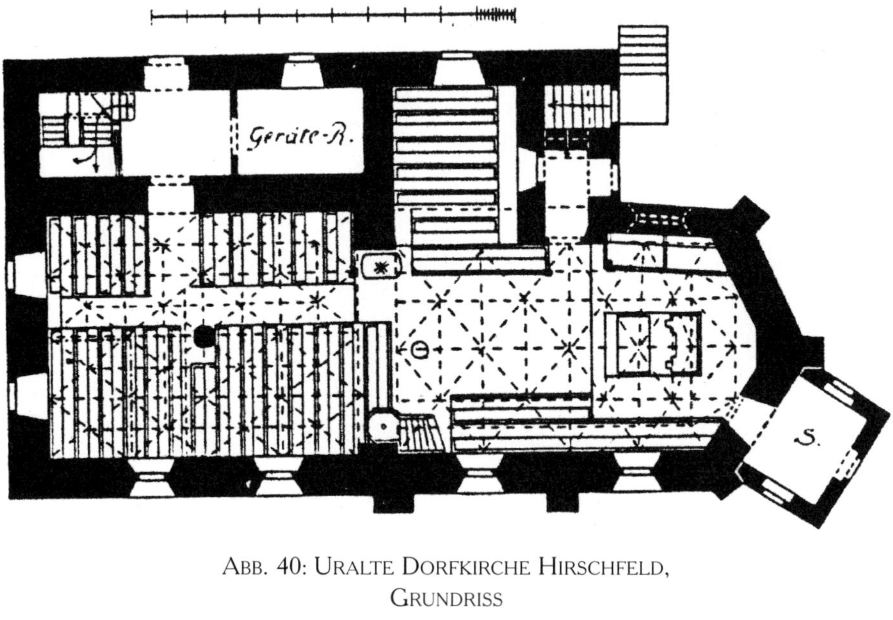

ABB. 40: URALTE DORFKIRCHE HIRSCHFELD,
GRUNDRISS

So verschmolzen, wohl 1475 schon wirtschaftlich, die großen Güter durch die Heirat des altersmäßig doch etwas unterschiedlichen Paares zu einem gemeinsamen Besitz. Die Hoch-Edelgeborne Anna von Schönberg wurde Frau Anna Mergenthal, sie von hohem Adel, er ein Bürgerlicher. Anna war einesteils glücklich über den hochgestellten Mann, andererseits war sie nicht rundheraus froh, denn die Hochzeit entsprach nicht ihrem Stande. Sollten ihre Kinder denn jetzt Bürgerliche werden?

Herzog Albrecht hatte wieder einmal die rettende Idee: 1476 wollte er ins Heilige Land reisen. Sein getreuer Mergenthal sollte ihn auf der gefahrvollen Reise über das Mittelmeer begleiten. Gesagt, getan. Am 5. März 1476 trat der Herzog mit Hannß Mergenthal und großem Gefolge – insgesamt 119 Personen – die weite Pilgerfahrt an. Zunächst aber wollte Albrecht zum Papst nach Rom wallfahren, dann nach Palästina weiterreisen. Hans Mergenthal nahm auch einen Caspar Mergenthal als Knappen mit. Tatsächlich traf man am 21. April

Abb. 41: Ritter Hanns Mergenthal d.Ä. (rechts) und Familie,
Kinder Hans d.J., Barbara, Maria, Ehefrau Anna geb. von Schönberg;
spätere Anna von Haugwitz (Grossmutter der Katharina von Bora)

1476 in Rom ein und gelangte über Venedig am 30. Juli 1476 in Jerusalem an. Am Heiligen Grabe wurden Hans Mergenthal und alle namhaften Begleiter zu Rittern geschlagen. Den 1. Dezember 1476 war „der Ritter" aus Jerusalem nach Zwickau heimgekehrt und am 15. Dezember wieder bei der Familie. Bei den Hochadligen Eltern im Schloß Rothschönberg war die Welt wieder in Ordnung. Annas Kinder konnten nunmehr „von Mergenthal" genannt werden. So gab es bald einen neuen Hans von Mergenthal und seine beiden Schwestern Maria und Barbara. Jetzt, 1478, verkaufte er sogar sein Dorf und sein Gut Marienthal an den Bürgermeister Sturm und den reichen Silberbergwerksbesitzer Martin Römer in Zwickau.

Die Große Triebisch führte bereits in der Adventszeit 1480 mehr als im Frühjahr ihr trübes Hochwasser tosend der Elbe zu. Weit oberhalb der stolzen Bischofsstadt Meißen, wo das Wasser endlich schäumend in den breiten Fluß mündete, hatte sie die ausgefahrenen Landwege schon beim Rittergut derer von Miltitz überflutet und in ein Schlammbett verwandelt. Selbst die Kleine Triebisch wollte ihr sonst eher kümmerliches Wässerchen auf den Feldern derer von Taubenheim und des Dorfes Piskowitz ausbreiten. Wochenlang hatte es geschneit. Flußaufwärts – östlich bei Rothschönberg, bei Tanneberg und Neukirchen – hatte die Triebisch die weite Landschaft der Rittergüter der Adelsleute von Mergenthal auch nicht verschont. Fast schien es, als wolle sie dieses Jahr noch die alten Erbsassen derer von Schönberg und von Regensperg mit den restlichen Rittern und Lehnsmannen von Bora auf Hirschfeld, Neukirchen und auf Reinsberg hinwegschwemmen. Und die Bobritzsch, die unter dem Schloß der Edlen von Bieberstein dahinkochte, wollte scheinbar die ganze Gemarkung verwüsten.

Wüste und Trauer herrschte auch auf dem Rittergute zu Deutschenbora – jedoch aus einem ganz anderen Grunde. Hatte doch der neue, Gestrenge und Veste Herr, der Ritter Hannß von Mergenthal (den wir ab jetzt „den Älteren" nennen), erst im Jahr 1476 geadelt, mit neuem Lehen seßhaft verpflichtet, am Dienstag nach Andrea 1480 seine Augen für immer geschlossen. Und das im besten Mannesalter! Die schlimme Kunde aus der kurfürstlichen Residenz über seinen Heimgang hatte sich bei allen Gutsverwaltern und Lehnsleuten zwischen den Ländereien im Süden, den Rittergütern Krummenhennersdorf sowie dem Dörfchen Nössige weit im Norden seiner Besitzungen schnell herumgesprochen.

Die hochherrschaftlichen Sassen zwischen dem Städtchen Wilsdruff und dem Zisterzienser-Kloster Altzella, der päpstliche Freund und Abt, im Norden die Edlen von Heynitz und von Schleinitz, von Miltitz und die Hofeleute in Deutschenbora und den umliegenden Rittergütern waren entsetzt. Und durch den Tod des frommen Herrn waren sie tief betroffen, hatte er doch – auch wenn er hier nicht immer wohnte – das Haus der Hochedlen von Schönberg durch die Heirat mit Anna vor einigen Jahren so groß gemacht, daß selbst die Alten von Schönbergs auf Rothschönberg am herzoglichen Hof zu Dresden erneut hohes Ansehen genossen. Mergenthals Berufung als herzoglicher Berater hatte den Schwäher ganz in dessen Nähe, ja sogar in die Kammern des dem Herzog brüderlich verbundenen Kurfürsten Ernst von Sachsen gebracht. Kitten konnte er

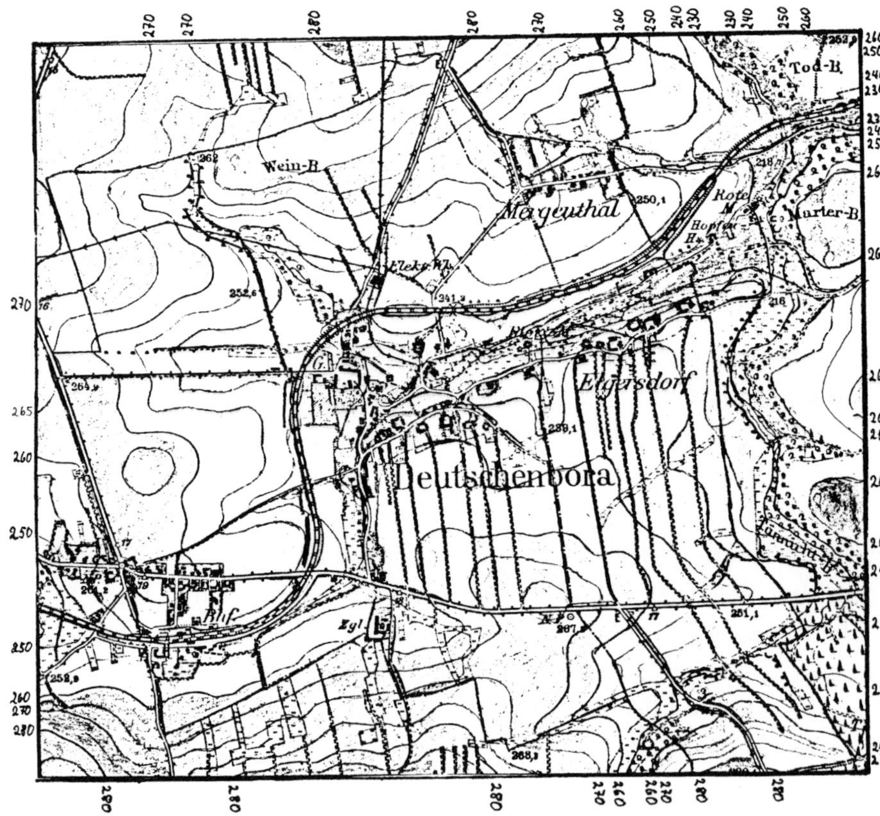

ABB. 42: DIE ORTSLAGE DES DORFES DEUTSCHENBORA

jedoch die Spannungen zwischen den Brüdern nicht. In Staatsgeschäften hielten sie notdürftig zusammen.

Zwar hatte ihr verstorbener Schwiegersohn, besagter ritterlicher Johann von Mergenthal, den sie Hannß riefen, die junge Tochter Anna nach Freiberg und für einige Zeit auch nach Torgau geholt, wo er – einige Meilen vor den Toren der Residenz des Kurfürsten – seinen Sitz nahm. Als Ausgleich erfüllten aber die drei Kinder, die alte biblische Namen trugen, das Dominium der Großeltern von Schönberg mit fröhlichem Kinderlachen. Privatgeschäftlich kam der Schwiegersohn Hannß immer öfter ins Land um Rothschönberg, hatten ihm doch Ihro K.F.G. Ernst und Ihro F.G. Albrecht sehr zur Freude der Alten von Schönberg die Zusammenlegung des großen Landbesitzes bis Nössige in Aussicht gestellt. Schwieger- und Großmutter Elisabeth von Schönberg, die geborene Pflug a.d.H. Zschocher, und Schwieger- und Großvater Heinrich von Schönberg sahen mit Stolz auf den Schwäher. Erst Canzler, dann Landrentmeister – das war den Patronage gewohnten Adligen schon etwas Besonderes. Auch die Familie von Pflug auf Lamperswalde, Strehla, Frauenhayn, Merzdorf, Zabeltitz und den ferneren Sitzen Zschocher und Knauthayn war stolz auf ein solches neues, angeheiratetes Familienmitglied, das ihre Anliegen bis zum Kurfürsten vorbringen konnte. Der Wahlverwandte Ritter Hannß von Mergenthal war ein Geschenk des Himmels!

Seine Kinder, Hans d.J., Maria und Barbara, wurden in der frommen und strenggläubigen Sphäre des Elternhauses auf das Wachsen und Blühen des neuen Adelsgeschlechtes von Mergenthal gründlich vorbereitet. Sie waren noch jung, als der Vater nun am Ende des Kirchenjahres 1480 starb. Entsetzlich!

Die Glocken der ehrwürdigen Marienkirche zu Torgau läuteten kaum vier Wochen vor dem Tag der Geburt Christi – der Advent hatte begonnen – dem Zug entgegen, der die Bahre mit der sterblichen Hülle des Ritters Hannß von Mergenthal begleitete, voran der herzogliche Herold und die mit schwarzem Gedeck geschmückten Mergenthal'schen Reit- und Zugpferde des Leichenwagens, dahinter die trauernde Witwe Anna mit den drei Kindern, den verwandten Adligen, den Hofadligen und Gutverwaltern der Rittergüter um Deutschenbora. Von Klitze her waren sie durch die ausgefahrenen Wagenspuren gestapft. Es war ein feierlicher Aufzug, den Ihro Gnaden, die hohen Fürsten Ernst und Albrecht, und ihre Geistlichen an der Pforte des Gotteshauses erwarteten.

Weinen und Wehklagen begleitete den Gottesdienst, als der verdienstreiche Mann im Chorraum der Kirche zur letzten Ruhe bestattet wurde. Das kunstvolle Epitaph, das Anna ihm setzen ließ, war eine einzigartige Liebeserklärung der jungen Frau. – Ein bitteres Trauerjahr begann. Die Witwe stand allein mit den Kindern und den großen Ländereien. Was nun? Hilft Gott, der Allmächtige?

ABB. 43: HANNS VON MERGENTHAL D.Ä.
CANZLER UND LANDRENTMEISTER VON ALBRECHT VON SACHSEN

Die feierliche Hochzeit der Hochedelgeborenen und Ehrenfesten Witwe Anna von Mergenthal gebornen von Schönberg und des Ritters Jahn von Haugwitz, Herrn auf Schloß und Herrschaft Hirschstein, muß direkt nach dem einzuhaltenden Trauerjahr alsbald nach dem Heimgang ihres geliebten Mannes, des Ritters Hannß von Mergenthal, im zeitigen Frühjahr 1482 stattgefunden haben. Nicht nur der Liebe wegen. – Die Probleme der Aussaat und der Ernte im Jahre 1481 hatten die trauernde Witwe und wohl auch Ihro Durchlaucht, den Herzog in Dresden, bewogen, ihr zu einer schnellen Heirat eines landerfahrenen Edelmannes zu raten. Ihr Sohn Hans, noch ein Knabe, bedurfte auch eines väterlichen Ratgebers, der ihn in die Geschäfte des toten Vaters einweihen konnte.

Jahn von Haugwitz, auch einer der jüngeren Ritter, die der junge Herzog Albrecht, wie Hannß von Mergenthal, von weit her um sich sammelte, um das Staatsschiff flott zu machen, hatte 1461 auf Schloß Hirschstein über der Elbe seinen Sitz als Verwalter der Herrschaft Hirschstein und des Elbeüberganges für den Canzler Georg von Haugwitz übernommen. In Burgwerben, Cleeberg und Rüben, Flößberg und Mölbis sowie in Taucha saßen noch seine Verwandten auf seinen Gütern, die er, über die Lommatzscher Pflege, über Oschatz und Mutzschhayn oder Kroptewitz reitend, oftmals besuchte. Bei dem vorher erwähnten riesigen Landbesitz, hatte er wohl für eine Ehe keine Zeit.

Abb. 44: So etwa sahen Anna von Mergenthal, Witwe, und Jan von Haugwitz bei ihrer Hochzeit um 1482 aus

So mag es wohl der Befehl des Herzogs gewesen sein, der ihn um die Hand der reichen Witwe Anna von Mergenthal a.d.H. Rothschönberg auf Deutschenbora-Hirschfeld, wohnhaft zu Klitze, anhalten ließ. Anna von Haugwitz war um 1482 noch so voller Reiselust, daß sie ihrem Sohn Hans für ihren „Rückzug“ von ihren Gütern in Deutschenbora und Hirschfeld – ihr Leibgedinge war noch nicht bestätigt (erst 1485) – schon für die spätere Ehe mit der begüterten Tochter derer von Regensperg, Anna von Reinsberg, vorbereitete. Wenn ihr Sohn Hans die Güter verwalten würde, wäre ihr Anna von Reinsberg, die den eigenen Landbesitz um die angrenzende Herrschaft Reinsberg noch erweitern würde, gerade die Richtige – und Hans d.J. würde verwurzelt werden, auch wegen der Fürsorge für die Großeltern auf Rothschönberg. Und Weitsicht war geboten, denn erst 1411 mußte Hans von Reinsberg sein Gut an Caspar von Schönberg, Bischof zu Meißen, verkaufen, der es von Markgraf Friedrich I. als Lehen erhielt. Aber die von Reinsberg hatten es wiedererworben. Sohn Hans d.J. sollte das Erbe mit Sitz in Hirschfeld schnell übernehmen.

Und Anna, die verwitwete von Mergenthal, zweitverehelichte von Haugwitz, wäre frei für ihren neuen Ehemann und die weiten Reisen zu seinen Besitzungen östlich von Leipzig und andererseits zum Schloß Hirschstein. So dachte sie. Sie war noch jung mit ihren fast 30 Jahren und neugierig.

„Wir sein nun schon zwei Tag unentwegt nach Westen geritten, mein Lieber, seit wir in Deutschenbora und meinem lieblich' Triebisch-Flüßchen aufbroche sind", schimpfte Anna von Haugwitz und zog das Mundtuch herunter. „Mei' Schwangerschaft macht mir zu schaffen. Ist es noch weit bis Cleeberg?" – Ritter Jahn von Haugwitz, Herr auf Hirschstein, mußte sich von seiner selbstbewußten Anna einiges anhören. Mit befehlendem Blick auf seinen überkommenen Lehnsmann Hans von Bora aus dem Haus von Mergenthal, den Anna mitgenommen hatte, forderte er die kleine Reitergruppe zur Rast auf. – „Noch ein kurzes Stück ist's bis Kieritzsch, wo mer dann alle absitze und zur Nacht bleib'n. Bei unserm Freund Kötteritz in Kroptewitz hast Du doch einen ruhigen Nachtschlaf gehabt, liebes Weib," forderte Jahn seine Frau zum Durchhalten auf. – „Wenn Du ein Mädchen bekommst, nenne ich sie wieder Anna, damit Du weißt, daß Anna geliebt wird." Sie wurde unter ihrem Sonnentuch etwas verlegen – und das nach der Geburt von drei Kindern.

Hans von Bora hatte ihrem tänzelnden Pferd inzwischen in die Zügel gegriffen und zog die Kandare an, so daß er ihr aus dem Sattel helfen konnte. – „Schau Dich hier in Haubitz nur um, Anna, drüben liegt Kieritzsch und dort vorn Lippendorf. Dort werden wir einige Tage bei dem Sohn des Wilhelm von Bora bleiben und uns an die Gegend gewöhnen", erklärte ihr Jahn. – „Lange möcht' ich aber nicht von mei'm Hans und von Maria und Barbara in Deutschenbora wegbleiben, lieber Jahn, und hier schon gar nicht ins Wochenbette. Du weißt, das Kindbettfieber ..." – Jahn von Haugwitz blickte betrübt. – „Ja, ich will bei meinen Eltern in Rothschönberg oder auf Hirschstein niederkommen – nicht hier, wo mir noch alles fremd ist", sagte sie kathegorisch. Der treue Lehnsmann Hans von Bora, den manche den Mergenthaler riefen, nickte ver-

ABB. 45: ZISTERZIENSERINNEN-KLOSTER MARIENTHRON ZU NIMBSCHEN, RESTE VOR CA. 150 JAHREN

ABB. 46: KLOSTERRUINE VON NIMBSCHEN BEI GRIMMA UM 1925.

ständnisvoll und Jahn sah in die Ferne. „Steh' der Mergenthalerin nicht immer bei“, nörgelte Jahn. „Auch Du könntest hier mit Land belehnt werden und solltest Dich auch in der Leipziger Gegend oder bei meiner gnädigen Mutter auf Schloß Burgwerben mal umsehen. Ich will, daß wir hier heimisch werden. Für Hans von Bora habe ich schon das Rittergut mit Dorf und Vorwerk an der Sale bei Burgwerben als Lehen vorgeschlagen.“ – „Muß ich das denn nehmen?“, brummelte Hans. „Liegt doch garnie mehr in der Mark Meißen. Und als Allodialgut ist's mir auch zu weit weg.“

ABB. 47: DIE GEGEND VON HAUBITZ, FLÖSSBERG, KIERITZSCH HEUTE – ZULSDORF IST WEGGEBAGGERT

Die anderen Begleiter, Ritter Heinrich von Miltitz, ein übernächster Nachbar derer von Schönberg auf Rothschönberg, und Caspar von Schönberg, der Bruder von Anna's Vater, dessen Großonkel Caspar, Bischof zu Meißen, von Markgraf Friedrich I., dem Vater des sanftmütigen Kurfürsten Friedrich II. selig, bereits 1411 mit Reinsberg belehnt wurde – beide Räte des Herzogs – schauten zwar skeptisch, doch brummelten sie nur etwas von „notwendiger Zustimmung der beiden Durchlauchten“ und „von großem Lehnstausch“. Jahn von Haugwitz witzelte: „Glaubt mir, ihr werdet später im Kopialbuch des könig-

Abb. 48: Alte Dorfkirche Neukirchen mit Apsis

lichen Hauptstaatsarchiv zu Dresden verewigt sein – als Zeugen der Belehnung.“ – „Müssen wir erst mal 'nen König haben“, reagierte der ältere Lehnsmann Hans von Bora. – „Dieser Mergenthaler aus Hirschfeld muß immer das letzte Wort haben“, zischelte Ritter Jahn spöttelnd. – „Das letzte Wort haben der gnädige Kurfürst und sein Bruder, denn die sitzen gerade zu Leipzig und teilen ihr Land neu auf, weil am 17. September 1482 der Onkel, Herzog Wilhelm III., der Bruder ihres Vaters, gestorben ist. Der hatte doch schon seit 1445 einige Teile des Oster- und Pleißnerlandes. Thüringen kommt jetzt zu Ernst, aber Albrecht möchte auch mehr Land und Leute haben“, warf Heinrich von Miltitz ein. – „Sie haben doch eben erst in diesem Sommer den Streit der heiligen Zisterzienserinnen vom Kloster Gottesthron zu Nimbschen wegen der Benachteiligung bei dem Landtausch von 1479 geschlichtet, den Ernst und Albrecht vor drei Jahren bestätigt hatten. Dem Kloster Nimbschen hatte der sanft-

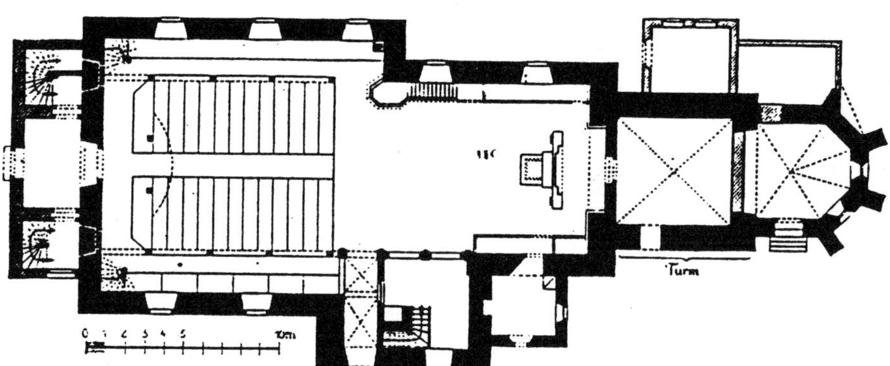

Abb. 49: Alte Dorfkirche Neukirchen, Grundriss, in der Apsis liegt Ritter Kunz von Kauffungen

mütige Friedrich doch schon 1456 einige Vergünstigungen erteilt. Die Äbtissin ist's nun zufrieden", verriet Ritter Caspar von Schönberg sein im Kabinett Gehörtes. – Jahn von Haugwitz dachte nach: „Ihr, gnädiger Schwager, kennt die Fürsten aus nächster Nähe. Legt doch für unseren Mergenthaler Lehnsmann Hans mal ein gutes Wort zur Belehnung in Burgwerben ein!" – Rat Caspar nickte, war doch eine Großtante von ihm eine Verheiratete von Kauffungen, die Mutter des Prinzenräubers von 1455, Kuntz von Kauffungen. Dessen geköpften Leichnam hatte der Großonkel, Bischof Caspar, in der Kirche seines Lehnsdorfes Neukirchen heimlich begraben und dazu noch einen Leichenstein setzen lassen. So ganz koscher war das nicht, und jtzo konnte etwas gutgemacht werden.

Sich weiter westlich um ein Lehen zu bemühen, schien auch erfolgversprechender, hatte doch im Sommer 1482 erst der Burggraf zu Leisnig den Gebrüdern Heinrich, Nickel und Hanns von Pflug einen Lehnsbrief über das nördlich ans Haugwitz'sche angrenzende Pomßen ausgestellt, wodurch sie mit ihren von jenen zu Lehn rührenden Gütern beliehen wurden. Nun waren die Landgüter derer von Haugwitz zum Teil im Westen wie im Osten ihrer Mark von Pflugk'schem Landbesitz tangiert. Die lieben Entschlafenen lagen in Leipzig friedlich nebeneinander – und jetzt auch die weiten, fruchtbaren Gemarkungen. Es war eine Freude! Wenn auch weite Wege zu reiten waren, so bildeten die Rittergü-

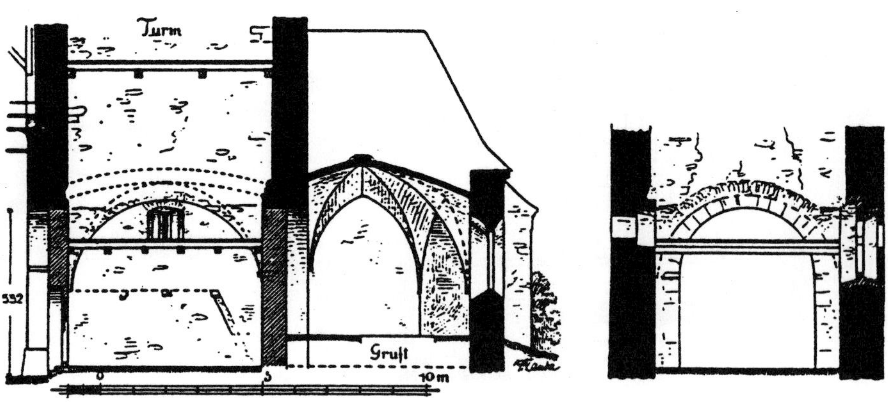

ABB. 50: NEUKIRCHEN, SCHNITT DURCH DIE GRABLIEGE DES KUNZ VON KAUFFUNGEN

ABB. 51: DENKMAL DES HANS TRUCHSESS VON BORA, GEST. 1403

ter doch die ökonomische Basis der hohen Adelsfamilien bei Hofe und bedurften energischer und nachhaltiger Betreuung.

Nach halbstündiger Rast sprang Anna frisch auf und lachte: „Nun zeig mir mal deinen gepriesenen Rittersitz Kieritzsch, lieber Haugwitz oder 'was Besseres als Rothschönberg und Deutschenbora."

Hans von Bora aus dem Hause derer von Mergenthal half Anna wieder in den Sattel. Er war der Kavalier geblieben, der er schon zu Hannß von Mergenthals Zeiten war. Anna schätzte seine Würde und väterliche Güte. Er war ihr – noch dazu hier in der Fremde im Leipziger Land – unentbehrlich. Hans von Bora, dessen Rittergut in Hirschfeld dicht bei Tanneberg neben dero von Schönberg lag, war ihr seit frühester Kindheit gut bekannt. Sein Vorfahr, Heinrich von Bora, kam am 1. Mai 1436 – als die Stadt Nossen zusammen mit der Burg und ihren Besitzungen einschließlich der hohen und niederen Gerichtsbarkeit dem Zisterzienser-Kloster Altenzella übergeben wurde – in die Lehnsabhängigkeit des Klosters. Er hatte sogar eine Urkunde, daß Heinrichs Bruder, Siegmund von Bora zu Hirschfeld, als Lehnsmann des Klosters die Grundherrschaften Deutschenbora, Wendischbora, Neukirchen und Hirschfeld zu Recht besaß. Der Familie gehörte überdies ein Erbbegräbnis in der Truchseß-Kapelle links neben dem Eingang der Stiftskirche des silberreichen Klosters, wie auch die Hoch-Edelgebornen von Schönberg aus Rothschönberg dort zwei Kapellen am Chorhaupt hatten. – Glänzend ging es den Boras nicht, mußte doch Eckenbrecht von Bora im Jahre 1463 das Oberholz bei Steinbach an der Großen Triebisch oberhalb Neukirchen an die von Schönberg auf Rothschönberg zu deren Lehen veräußern. – Hans von Bora gehörte zu einem sehr alten Geschlecht.

ABB. 52: DENKMAL DES HANS TRUCHSESS VON BORA, GEST. 1424

Die zwei kunstvollen Grabsteine der beiden Ritter Hans Truchseß von Bora von 1403 und 1424 in der Truchseß-Kapelle der Klosterkirche zeigten seine Ahnen und wer er war. Einer war sogar Truchseß auf Wellerswalde. Die von

Boras hatten noch vor gut einhundertfünfzig Jahren die Teilung der Bora'schen Feldmark in ein Wendisch-Bora und ein Deutschen-Bora am Rande des Miriquidiwaldes vollzogen. Seit 1197 wurde bereits der Herrensitz „Zbor“ genannt und am 2. März 1412 waren seine Vorfahren, die Brüder Hannß und Heinrich vom Bora bereits in Deutschenbora seßhaft. Hans besaß noch die burggräfliche Urkunde vom 24. Juni 1422, daß sie mit gutem Recht ihren Rittersitz nach Neukirchen verlegt hatten, endgültig jedoch erst ein Jahrzehnt danach. Später erwarb das Kloster noch große Teile der Umgebung hinzu. Sie waren somit Vasallen des Klosters. „Doch das ist Vergangenheit“, sinnierte der alte Hans, „der Reichtum kommt nicht zurück. Und meine Teilnahme am Ritt ins Gelobte Land im Jahr1461 kostete ein Vermögen. Wie komme ich nur mit dem Rittergut Hirschfeld über die Zeiten?“ – Sein Blick richtete sich auf die neue Hoffnung – Ritter Jahn von Haugwitz.

Ja, Anna von Haugwitz, verwitwete von Mergenthal, geborene von Schönberg aus dem Haus Rothschönberg mußte sich ihrem neuen Mann, Jahn von Haugwitz, nicht unterordnen! Sie dachte wieder an den „dunklen Fleck“ in ihrer Familie, den des Bischofs Caspar: Annas Großtante – die Schwester dieses Caspars von Schönberg – die Mutter des habgierigen Prinzenräubers von 1455, Kuntz von Kauffungen, der aus Staatsräson durch Kurfürst Friedrichs II. Gericht enthauptet worden war. Vom Oheim, Herzog Wilhelm III, dem kurfürstlichen Bruder zu Thüringen gedungen ... Und gerade mit diesem war Hans von Bora im Jahre 1461 ans Grab Jesu Christi gepilgert. „Schamrot müßte ich werden“, so dachte sie. – Jahn von Haugwitz sah darüber hinweg. Die Liebe war stärker.

Hans von Bora ritt still neben seiner jüngeren Lehnsherrin Anna dahin, Uradel neben Uradel. Er hatte ihr früher vieles über die Miriquidiwaldgrenze erzählt, die sich vor 300 Jahren – als das alte Kloster, das jetzt Altenzelle hieß, von Kaiser Friedrich I. bestätigt worden war – noch nördlich am Zisterziensergut bei Nossen vorbei bis an die Elbe bei dem Schloß Scharfenberg hinschlängelte. Diese Waldgrenze zog sich an der Südseite von Deutschenbora bis an den westlichsten Bogen der Großen Triebisch dahin, durch das Rittergut Rothschönberg hindurch und an Burckhardswalde entlang, bis sie, über Taubenheim und Reichenbach biegend, den großen Strom berührte. Das war die Grenze zwischen den Wenden und den meißnischen Rittersitzen. Deshalb liebten die von Boras die weite, bewaldete Hügellandschaft nördlich des Miriquidiwaldes. Aber das lag weit zurück. „Die Ritter von Bora hatten wohl wenig Glück“, dachte Hans. Anna und er waren im Gegensatz zu Ritter Jahn von Haugwitz und dem Ritter Hannß von Mergenthal d.Ä. die Einheimischen und am Rande der Miriquidiwaldgrenze zu Hause. Er kannte fast jeden Tag ihres Lebensschicksals. Das verband sie nun auf Gedeih und Verderb. Zudem waren seine Kinder, unter denen sein Sohn Hans dem Vater ähnlich sah, etwa genau so alt wie die drei Kinder „von Mergenthal“ der Anna von Haugwitz. In Burghardswalde hatten erst kürzlich die Haugwitzes und Haubitzes zusammen mit derer von Ende, von Schleinitz, von Bünau, von Grauschwitz, den Marschalls von Bieberstein und anderen Adligen der ganzen näheren Umgebung einen großen Gottesdienst geleistet und über einen fehlenden, künstlerischen Hochaltar beraten. Das konnten sich die von Bora's nicht leisten. – „Es ist eben mühsam auf Hirschfeld“, dachte Hans. – Nun war die kleine Reitergruppe müde auf Kieritzsch angekommen und man saß ab. In der Finsternis wußten sie nicht genau, ob es vielleicht das Freigut Lippendorf war. Aber da tauchte Hans von Boras Neffe Jan, der junge Ritter Hans von Bora, der Sohn seines verstorbenen Bruders Wilhelm auf und leuchtete den Herrschaften in die Stallungen. Hans von Bora aus Hirschfeld umarmte seinen Neffen und seine Katharina.

ABB. 53: HOCHALTAR DER DORFKIRCHE BURKHARDSWALDE MIT DEM WAPPEN DERER VON HAUGWITZ, VON HAUBITZ, VON ENDE U. ANDEREN

Im Jahre 1474 schon, hatten Hans und Wilhelm selig, die ihren Vater Sigmund zu Hirschfeld in liebevoller Erinnerung hatten und nun – jeder – auch einen Sohn Hans in Erinnerung an ihren ritterlichen Großvater Hans nannten, von den Gebrüdern Nikolaus (Nickel) und Hermann von der Lochau die in der Pflege Schweinitz des Kurfürstentums Sachsen gelegenen Güter Löben (Loben) mit Gerichten und Kirchlehen nebst dem Dorf Brandis gekauft. Die lagen östlich von Wittenberg. Unter dem 18. April 1474 wurden sie durch Kurfürst Ernst und Herzog Albrecht mit diesen Gütern zu rechten, gesamten Lehen beliehen. Doch ward unter dem 4. Juli 1476 die Hälfte dieses Besitzes der späteren Witwe Wilhelms als Leibgedinge verschrieben. Wilhelm von Bora hatte zuvor das Gut Lippendorf im Amte Pegau, westlich von Borna, nahe den Pflugk'schen und Haugwitz'schen Besitzungen, erworben. Nachdem er und Bruder Hans mit den Gütern Löben und Brandis am 18. April 1474 belehnt waren, verschrieb Wilhelm bereits seine Hälfte zu Schloß Lochau bei Annaburg/Schweinitz seiner Frau Ilse zum Leibgedinge. Sein Sohn Hans (Jan) vermählte sich vor dem 11. Dezember 1482 mit Katharina. Der Onkel Hans aus Hirschfeld nutzte die Reise mit Jahn von Haugwitz und seiner schwangeren Lehnsherrin wohl auch zur Teilnahme an dieser Hochzeit des Neffen Jan mit Katharina zu Lippendorf. So konnte er sich für einige Tage von dem Gefolge der Anna und des Jahn von Haugwitz freimachen und vieles besprechen.

Auf dieser wochenlangen Reise lernte Anna einige Brüder und Vettern von Jahn und deren große Güter bei Weißenfels an der Saale, bei Cleeberg, Flößberg, Beucha, Haubitz, Mölbis in der Nähe von Lausick sowie das Schloß und die Herrschaft Taucha mit vielen der etwa 60 Dörfer kennen. Besonders sympathisch schien ihr Hans von Haugwitz d.Ä. auf Taucha und auf Burgwerben, eine gemäßigte Natur und ein Mann von frommer Gesinnung. Er erzählte ihr, daß er seiner Gemeinde Taucha eine Schenkung zu kirchlichen Zwecken mache und durch ihn die Haugwitz-Kapelle im Dominikanerkloster in Leipzig erbaut worden sei. Natürlich mußte sie diese sehen und schließlich interessierte sie auch, wo ihre Mutter, Elisabeth Pflugk, und ihr Vater, Heinrich von Schönberg, geheiratet hatten. So besuchte das Ehepaar, Anna und Jahn von Haugwitz, auch einige Tage das alte Leipzig und bestimmt auch die Grabkapellen in der ehrwürdigen Dominikaner-Kirche (die 1968 gesprengt wurde). – In den Urkunden wird das Adelsgeschlecht der Haugwitze auch Hugwitz oder Haubitz genannt – s.z.B. „Taucha im Wandel der Zeiten“ von Albert Damm, Taucha, ca. 1929.

Bei diesem Familienbesuch erfuhr sie auch, daß drei Schwestern der Leipnitzer Verwandten, die Margaretha, die Clara und die Martha, für immer als Nonnen ins Zisterzienserinnen- Kloster Gottesthron nach Nimbschen gehen werden. Margaretha von Haubitz war wohl schon dort, als Novizin. Sie waren die Töchter des Ritters Hanns von Haubitz auf Leipnitz. Sein Sohn, der später um 1496 in Leipzig studierte, war Asmus von Haubitz, der auch um 1526 als Inspektor der Wirtschaft des Klosters zu Nimbschen fungierte.

Tatsächlich fanden der Sohn Wilhelms – Hans von Bora und Frau Katharina – an dem vorerwähnten Dorfe, dem Vorwerk und dem Sitz zu der Saale in der Pflege Weißenfels Gefallen. Jan von Bora wollte Lippendorf also verlassen und es dem Onkel Hans aus Hirschfeld übertragen, ein Lehnstausch – wie es Caspar von Schönberg und Heinrich von Miltitz schon vorhersagten. Aus diesem Grunde wohl empfahl es der Oheim Hans aus Hirschfeld den Jungvermälten herzlich. Und er konnte sich in großer Ruhe entscheiden: Lippendorf oder Hirschfeld. – Jahn von Haugwitz hatte irgendwie Recht behalten und freute sich über den Lehnsmann. Und so konnte der Ritter Hans von Bora aus Hirschfeld die hohe Anerkennung seines Lehnsherrn Jahn und seiner lieben Anna für den familiären Schulterschluß in der alten Haugwitzer Heimat bei Weißenfels für sich verbuchen. In Lippendorf hielt es ihn aber nicht. Am 11. Dezember 1482 belehnen zu Weißenfels Kurfürst Ernst und Herzog Albrecht von Sachsen den Ritter Hans von Bora mit dem Sitz zu der Sale, wobei die sächsischen Räte, Caspar von Schönberg und Heinrich von Miltitz als Zeugen fungieren und mit unterzeichnen. Gesiegelt zu Weißenfels, den 11. Dezember 1482. Am gleichen Tage erhält Katharina, seine Frau, diesen Besitz als Leibgedinge überschrieben, im Beisein der vorigen Zeugen und des Bekannten Michel Krawinkel als Vormünder.

Bald ritt man zurück nach Schloß Hirschstein. Anna wollte in der Nähe ihrer Eltern niederkommen und setzte sich durch. So gebar sie wohl Ende des Jahres 1482 eine Tochter, ihr viertes Kind. Tags darauf wurde sie auf den Namen Anna von Haugwitz getauft. – Die nun erneut Mutter gewordene Anna blieb hartnäckig auf Hirschstein und gebar ihm noch eine Else, eine Katharina, einen Walther, eine Barbara, einen Wilhelm und 1495 einen Gottschalk. Natürlich war es für die Kinder stets interessant, aus den Fenstern des hochgelegenen

ABB. 54: SCHLOSS HIRSCHSTEIN VON SÜDEN

Schlosses auf die Elbe herunterzuschauen und die Fähre mit den vielen Kaufmannswagen und die Schiffe ziehen zu sehen. Ritter Jahn von Haugwitz hatte als Burgvogt von Hirschstein auch den Elbübergang zu schützen, denn die Fährstelle war eine reichsunmittelbare Furt in Richtung Nieder-und Oberlausitz. Oft war die Familie aber auch auf den Gütern um Leipzig, in der Mark Cleeberg und anderswo. Mag sein, daß man oft im Freigut Lippendorf abstieg. Und

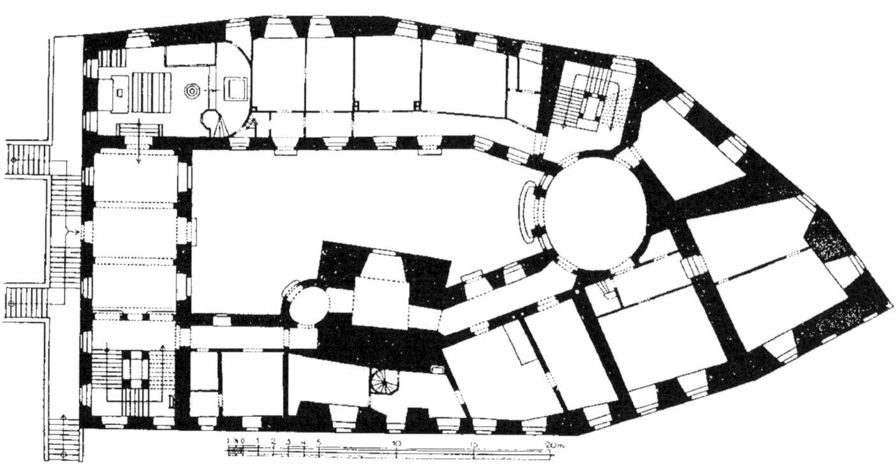

ABB. 55: SCHLOSS HIRSCHSTEIN, GRUNDRISS

in der Gegend um Burgwerben kam Bora'sche Hilfe für die Alten von Haugwitzes gerade recht. – Andererseits war Sohn Hans von Mergenthal d.J. auf dem Rittergut Hirschfeld bei Deutschenbora für Anna von Haugwitz, verwitwete von Mergenthal, sehr entlastend, führte er sich doch dort gut ein. Anna erhielt es im Jahre 1485 als Leibgedinge bestätigt. Und ihre Mutter, Elisabeth Pflugk, heute in Wilsdruff, morgen auf dem Sitz Rothschönberg, kümmerte sich noch zusätzlich um die Kinder erster Ehe in Hirschfeld, lebte sie doch noch im August 1484, als sie in der Pflugk'schen Kapelle zu Leipzig ein „Seelgeräthe" für den im Jahre 1482 inniggeliebten Bruder Nickel und alle lieben Entschlafenen der Adelsfamilie stiftete. In der Pauliner-Kirche der Dominikaner betrachtete sie lange das kunstvolle Epitaph, das ihrem Bruder im Jahr 1482 aus Stein gehauen worden war, es stand bis zur Sprengung im Jahr 1968 in der Pauliner-Universitäts-Kirche zu Leipzig.

ABB. 56: ÖSTLICHES KREUZGANGENDE IN DER PAULINER-UNIVERSITÄTSKIRCHE IN LEIPZIG. BLEISTIFTZEICHNUNG VON A. ROST, 1889, VERMITTELT NOCH DEN EINDRUCK VOM GRABMAL DES NICKEL PFLUGK VON 1482

Anna, verwitwete von Mergenthal, verehelichte von Haugwitz, sorgte aber nicht nur für die eigenen Kinder. Sie vermittelte auch ihre Cousine auf Knauthayn, Christina Pflugk, die Tochter des Bruders ihrer Mutter, Nickel Pflugk, um 1490 dem Bruder ihres Jahn, dem begüterten Georg von Haugwitz, dem Jorge, als dessen Ehefrau. Christina blieb das Schicksal der Trennung vom Elternhaus auf Knauthayn an der Weißen Elster – wie Annas Mutter es erlebte – erspart. Georg von Haugwitz war nämlich im Jahre 1501 der Herr auf Cleeberg und Rüben, der Nachbar von Knaut-

Abb. 57: Hanns von Mergenthal und Ehefrau Anna von Reinsberg mit den drei Kindern Wolf, Anna u. Catherina, Cousin u. Cousinen der Katharina von Bora. Catherina, Nonne in Freiberg, Tracht der Zisterzienserinnen, geflüchtet 1529 aus dem Maria-Magdalenen-Kloster (linke Gruppe)

hayn. Letzteres Rittergut gehörte – wie zuvor erwähnt – dem Nickel Pflugk, der allerdings diese Pflugk-Haugwitz'sche Hochzeit nicht mehr erlebte, da er 1482 starb.

Doch die stattliche Familie hielt solche schweren Verluste dank ihrer vielen Schultern mit immerwährendem Gleichmut im Vertrauen auf ein Wiedersehen nach der Auferstehung demutsvoll aus.

Aber auch Anna von Mergenthal, wie man sie an Haugwitz' Seite noch oft nannte, sollte nicht mehr lange leben. Etwas über 40 Jahre alt, starb sie schließlich schon vor dem Frühjahr 1496 und wurde in der Haugwitz-Kapelle zu Leipzig beigesetzt. Weinend mußten die noch unmündigen Kinder den schwarzen Karren mit der geliebten Mutter vom Schloß Hirschstein nach der Veste Leipzig abfahren sehen. Dort wurde ihre Bahre durch das schöne Pförtlein getragen, das im Jahre 1488 von der Familie von Haugwitz am Klosterhof als „Porta Paulensis“ errichtet und mit dem Wappen derer von Haugwitz bekrönt worden war – eine Stiftung an das Kloster. – Traurige Tage waren es – auch wenn es im Elbtal jetzt Frühling wurde. Tiefgebeugt kam ihr lieber Vater von der Beisetzungsfeier aus der Messestadt zurück.

ABB. 58: LEIPZIG,
DOMINIKANER-KLOSTER MIT HAUGWITZ-PORTAL,
WESTSEITE DER PAULINER-UNIVERSITÄTSKIRCHE

Nun waren die Kinder zweiter Ehe der verstorbenen Anna Halbwaisen. Der Burgwart mußte jetzt sehr persönlich darauf bedacht sein, die Erziehung der Kinderschar allein und ehrenhaft durchzustehen. Sein Stiefsohn aus Annas erster Ehe, Hans von Mergenthal zu Hirschfeld, überwies für seine tote Mutter, die Hochedelgeborne Canzlerswitwe und Rittersfrau, Anna von Haugwitz, dem Pauliner-Prediger-Kloster in Leipzig am 10. Mai 1496 die Summe von 400 Rh.G. Dafür waren die Lesungen der ewigen Seelenmessen in der Familienkapelle derer von Haugwitz sicherzustellen. Seine Schwester Maria entsagte der Welt und nahm den Schleier der Klosterjungfrauen in dem zu Hirschberg nahen Kloster Seiselitz, während seine jüngere Schwester Barbara – bald nach dem Tode der Mutter Anna – einen Ehemann im Hause derer von Mispelbach heiratete. – Und Jahn von Haugwitz saß mehr denn je auf Hirschstein fest.

Der Lehnsmann der toten Anna, Ritter Hans von Bora, auf dem nördlichen Gute Hirschfeld bei Deutschenbora und Onkel des Herrn auf dem Sitz, Dorf und Vorwerk zu der Sale, Hans von Bora und Katharina, Inspektor auf den Haugwitz'schen Rittergütern, erfuhr bestürzt von dem Hinscheiden der ihm so herzlich verbundenen Anna. Vor kurzem hatte er noch freudig erlebt, daß Hans von Mergenthal d.J., Sohn aus erster Ehe der Anna, die Hoch-Edelgeborne Anna von Regensberg (Reinsperg) geheiratet hatte und zu dem Söhnchen Wolff alsbald noch zwei Schwesterchen, eine Anna und eine Catherina von Mergenthal hinzugekommen waren. Dort war er wohl nicht mehr nötig. Aber jetzt, im Sommer 1496, weckte das Schicksal ihrer unmündigen, kleinen Kinder aus zweiter Ehe der Anna seine väterliche Art aufs Neue. Die Treuepflicht zu den von Mergenthals trieb ihn um, denn bei Ritter Jahn von Haugwitz, der 1497 noch auf Hirschstein saß, ging vieles drunter und drüber. Hier Burgvogt, dort Gerichtsherr über ...zig Dörfer, Hüter des Elbüberganges bei Schloß Hirsch-

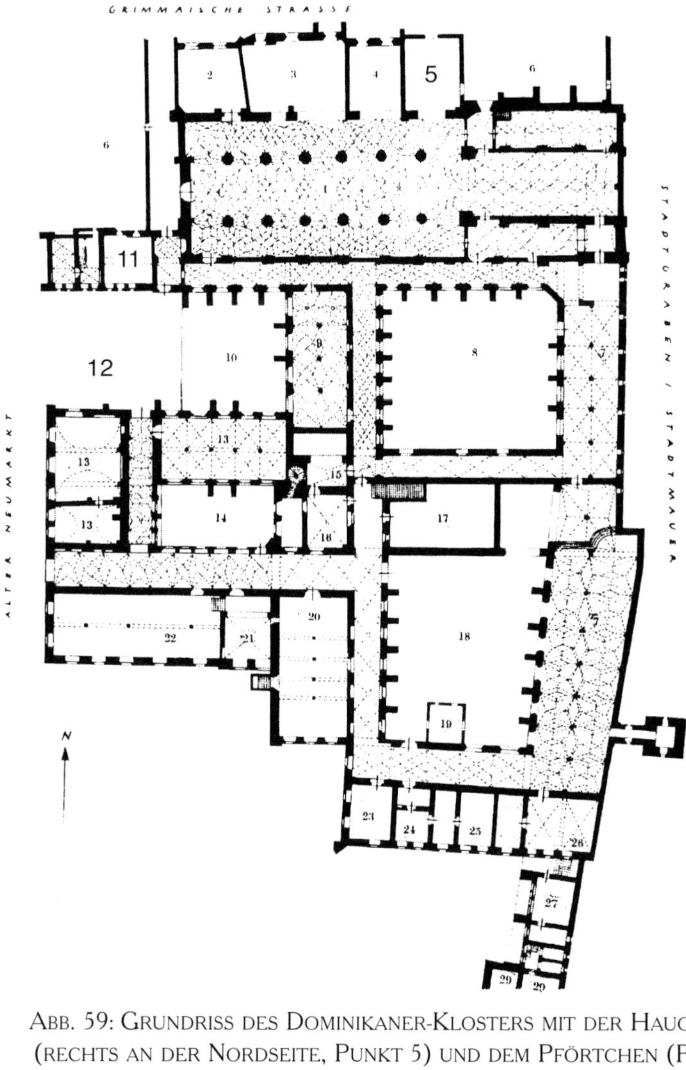

ABB. 59: GRUNDRISS DES DOMINIKANER-KLOSTERS MIT DER HAUGWITZ-KAPELLE (RECHTS AN DER NORDSEITE, PUNKT 5) UND DEM PFÖRTCHEN (PUNKTE 11/12)

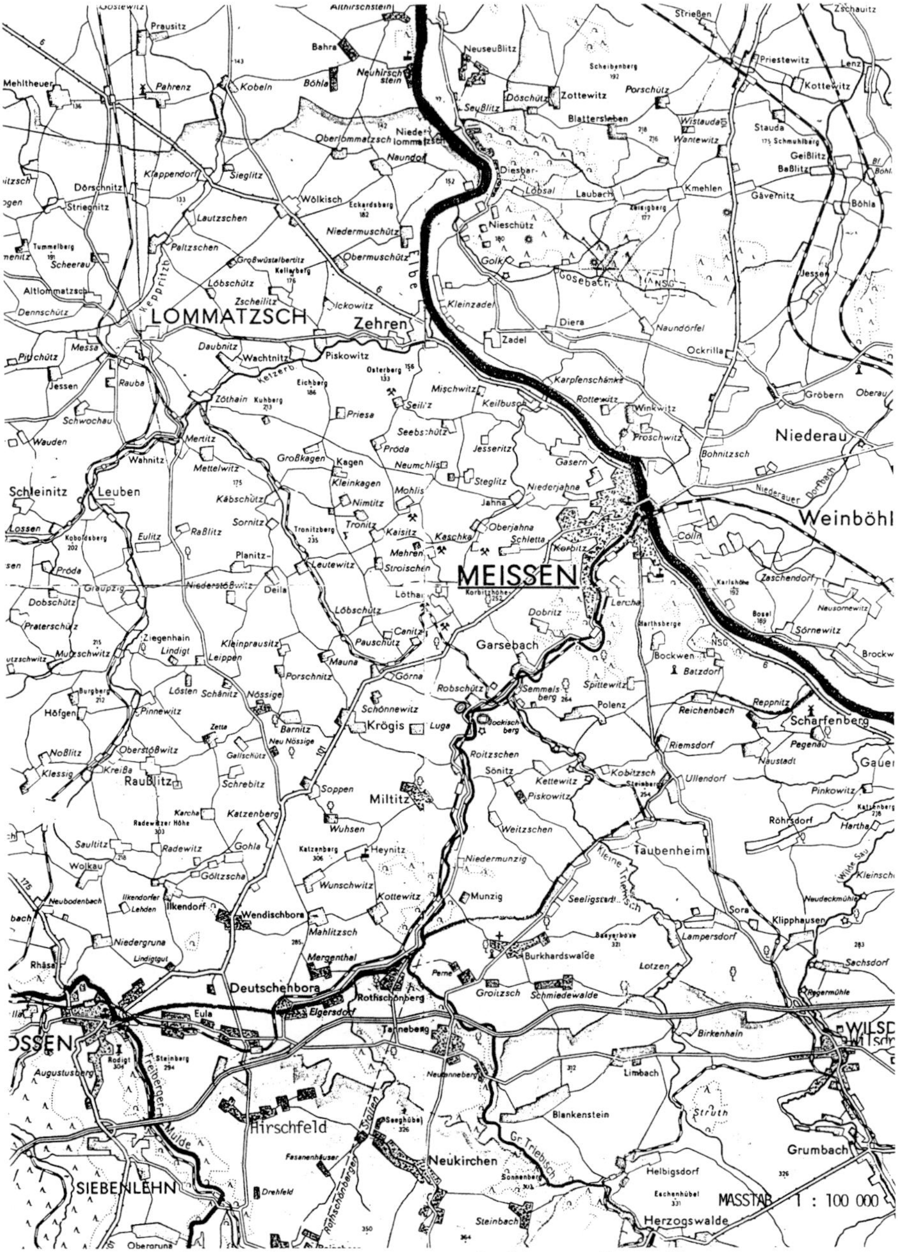

Abb. 60: Die MiriQuidiwaldgrenze, im Norden Burg Hirschstein, ganz im Süden liegt das Dorf Hirschfeld

stein, dem Stiefsohn Hans von Mergenthal noch gute Ratschläge für die Güter um Hirschfeld erteilen, die vielen Kinder und die große Landwirtschaft ..... – es war kaum zu schaffen. – So kam Jahn der Antrag des alten Bekannten, Hans von Bora's, gerade recht, dessen Sohn Hans von Bora mit der ersten Tochter aus der Ehe mit seiner verstorbenen Anna von Mergenthal, der jungen, Halbwaise gewordenen, erst 16-jährigen Anna von Haugwitz a.d.H. von Mergenthal auf Hirschstein, zu verheiraten. Schließlich kannte der alte Mergenthaler Lehnsmann sie ja von Mutterleib an. So holte sich Hans von Bora – mit aufatmender Genehmhaltung des Vaters Jahn – das junge Mädchen von Hirschstein auf seinen Gutsverwaltersitz. Der jugendliche Sohn Hans von Bora's, Hans, wohl 25 Jahre alt, verliebte sich schnell in die fromme und stille Anna von Haugwitz (später genealogisch beurkundet als Annen von Haubitz auf Stein-Lausitz). Im Frühjahr 1498 – das genaue Datum wird die Wissenschaft wohl nie ermitteln – fand die Hochzeit der jungen Leute statt, die Ritter Jahn von Haugwitz standesgemäß ausrichtete. Hans von Bora d.J. aus Hirschfeld hatte auch seine Schwester Magdalena, eine Nonne im Kloster Gottesthron zu Nimbschen, zu dieser Hochzeit eingeladen (bei Luthers Familie genannt „Muhme Lehne"). Die großen Güter der Adelsfamilie von Haugwitz und des vorgenannten Vaters der Anna, des nun Witwer gewordenen Jahn von Haugwitz, wie Flößberg, Beucha, Haubitz, die Mark Cleeberg und Rüben bis hinab nach Taucha u.a., begannen westlich von Lausigk und nördlich des Städtchens Borna. Jahn von Haugwitz mußte wohl alljährlich von Hirschstein zur Inspektion reiten. Da wurde auch in Lippendorf beim Kirchspiel Kieritzsch Station gemacht. Das Dorf Haubitz lag auch nahe, die Parochie Lobstädt in der Ephorie Borna fast um die Ecke. Der adlige Gutsverwalter, Hans von Bora d.Ä., der von Anna von Mergenthal überkommen war, hatte auch hier sein Betätigungsfeld – als Vertrauter aus der Mergenthal'schen Zeit, jetzt auf den Haugwitz'schen Landgütern. (Das Buch der Geschichte hat es noch nicht hergegeben, ob die Hochzeit der Annen von Haugwitz auf Schloß Hirschstein, auf dem Lehnsgut derer von Bora zu Hirschfeld oder auf Schloß Taucha, auf Haubitz oder Stein-Lausitz, Lausnitz, Lausigk oder dem Freigut zu Lippendorf stattfand. Später jedenfalls, 1542, lebte der Vater der Katharina noch bei einer Gutsfamilie Hayn zu Moderwitz bei Neustadt a.d. Orla. Zuvor war er um 1525/30 – nach dem Verkauf von Hirschfeld an Wolff von Mergenthal – auf Löben gezogen, das auf seinen Anteil gekommen war. Nach denen von Hayns hatten es die von Brandenstein. Dero von Brantstein kannten den Alten wohl aus der angestammten Heimat um Hirschfeld, hatten jene doch im Chor der evangelischen Kirche zu Burkhardswalde, Nähe Hirschfeld, mit denen von Haugwitz, von Haubitz, vom Ende, von Heynitz, von Schleinitz, Wolffersdorf und anderen Geschlechtern ihre Wappen angebracht). – Am 29. Januar 1499 wurde dem jungen Paar sowie dem Großvater und Lehnsmann, Ritter Hans von Bora aus dem Hause derer von Mergenthal zu Hirschfeld und dem Großvater, Burgwart und Ritter, Jahn von Haugwitz auf Schloß Hirschstein, Ehemann der verstorbenen Anna von Mergenthal, ein kleines Mädchen geboren. Sie wurde sogleich auf den Namen Catharina von Bora getauft und erhielt den adligen Beinamen 'aus dem Hause von Mergenthal'.

Catharina von Bora, die Allzeit-Reine, vom Adelsgeschlecht her aus dem bei Hofe beliebten Hause von Mergenthal, spätere Zisterzienser-Nonne und letztendlich – seit 15. Juni 1525 – Ehefrau des Reformators Dr. Martin Luther, war geboren – der Morgenstern von Wittenberg.

Der geehrten Leserin, dem geehrten Leser muß zum Verständnis mitgeteilt werden, daß es zwei Katharinen aus dem Hause von Mergenthal gab. – Die zuerst oben erwähnte, ist Catherina von Mergenthal und war die Cousine der Hauptperson Katharina von Bora. Sie stammte von Hans von Mergenthal d.J. auf Hirschfeld (†1. Nov. 1506), dem Onkel der Katharina von Bora, ab und legte – wie zuvor auch ihre Tante, Maria von Mergenthal, den Schleier der Klosterjungfrauen von Seiselitz – ihren Nonnenschleier in dem Freiberger „Marien-Magdalenen-Kloster zu der Buße" an. Catherina flüchtete im Jahre 1529 – schätzungsweise mit etwa 31 Jahren – aus diesem Kloster. Martin Luther nennt sie, als er von dieser Flucht spricht, „una nobilis a Mergental". Sie floh zusammen mit der Priorin Katharina Freybergerin, Schutzmeister – in einem Brief Luthers als Freiberger Bürgerskind bezeichnet – und mit Anna und Cristina Korbin, bei Luther „filiae civium Freibergensium".

Die Hauptperson, Katharina von Bora a.d.H. von Mergenthal, – sie wurde so genannt wegen der damals gegenüber „von Haugwitz" und „von Bora" bedeutenderen Großeltern, dem Stiefgroßvater, Canzler Hans von Mergenthal d.Ä. und der mütterlicherseitigen Großmutter, Canzlers- und Landrentmeisterswitwe

Anna von Mergenthal – legte wohl den weltlichen Namen „von Mergenthal" beim Eintritt ins Kloster Gottesthron zu Nimbschen im Jahre 1509 – spätestens zur Einsegnung – demutsvoll ab. Jeder weltliche Zusatzname, der auf irdischen Besitz und Rang hinwies, war überflüssig, und auch der Kopf wurde kahlgeschoren. Am 8. Oktober 1515 wurde sie mit dem Kruzifix im Arm die ewige Braut Jesu Christi. – Bekanntlich flüchtete sie zu Karfreitag 1523 aus ihrem Kloster zu Nimbschen über die Residenz Friedrich III. von Sachsen, des Weisen, also über Torgau, nach Wittenberg und wurde eine der ersten Pfarrersfrauen des christlichen Abendlandes. Vater, Ritter Hans von Bora, nahm sie nicht nach Hirschfeld zurück, regierte doch dort der erbitterte Gegner der Reformation, Herzog Georg im Barte. Ihre Mutter Anna, die als Edelgeborene 'von Haugwitz' die Bedeutendere in der Reformationsgeschichte im Vergleich mit 'von Mergenthal' ist, starb mit 23 Jahren. Ihren Vater, Hans von Bora d.J., Jan, hielt nun nichts mehr auf Hirschfeld. – Ein Jan zu Lippendorf heiratete vor dem 15. Mai 1505 die zweite Frau, Margarete von Ende („vom Ende" aus Burkhardswalde?), auf die er alle der auf ihn gekommenen, des toten Oheims Wilhelm Güter zu Lippendorf, als Leibgedinge überträgt. Sie war die Stiefmutter der späteren Käthe Luther, „des Herrn Käthe, meiner Rippe oder der Herrin von Zulsdorf", wie Martin Luther sie liebevoll nannte. Erst um 1525/30 verkauft Hans von Bora das Rittergut Hirschfeld an den Agnaten Wolff von Mergenthal, der bereits den anderen, auf ihn gekommenen Hirschfelder Gutsanteil des Vaters, des Ritters Hans von Mergenthal d.J., der 1506 starb, also das Rittergut Moritztal, schon besaß. – (Siehe Genealogie Seite 78/79).

GENEALOGIE DER

Stand
März 1999

Hans von Bora
vor 1354 Stammgut Wendischbora
danach Rittersitz Deutschenbora
sein Grabmal ? von 1403

Hans von Bora urkl. 26./28.11.1399
Ritter zu Deutschenbora, ca. †1424

Erkenbrecht urkl. 1361
Sitz zu Steinbach

Rosmuthe urkl. 1332 u. 1365
Nonne im Kloster Döbeln

Hans
DB, urkl. 2.3.1412, 21.1.1416
24.6.1422, später
Neukirchen 18.7.1423 m. Bruder Heinrich, am 24.4.1422
urkl. Hans 8.8.1444 allein

Heinrich
DB, später Meißen,
urkl. 4.6.1431, Abgabe v. Niedereula
an Kloster Altenzella, lehnsabhäng.
ab 1.5.1436 Vasall.

Sigmund
auf Hirschfeld
Lehnsmann d. Edlen v. Hirschfeld
u.d. Klosters Altenzella, huldigt
dem zu Schloß Mügeln 4.1.1433 u.
Lehnsmann 1.5.36

Beatrix
Kloster Riesa
Äbtissin
urkl. 23.8.1395
u. 1411

Katharina
Nonnen zu
Riesa
urkl. 26.5.1385

Selge

Hans
nimmt DB in Besitz 1423
von Hans d.Ä. u. s. Onkel
Heinrich (soll später ?
d. Namen von Mergenthal
angenommen haben)

Kaspar
(soll um 1476 den
Namen v. Mergenthal
angenommen haben)
Knappe zu Freiberg

Sigmund
zu Simselwitz
stirbt 1490 aus

Wilhelm
Stifter d. Linie
Lippendorf v. 1474
kauft Lippend., ∞
Ilse von Falke,
Lehnsgüter Löben
u. Brandis m. allen
Gerichten u. Kirchlehen m. Hans v. Bora
am 18.4.1474 durch
Ernst u. Albrecht in
d. Pflege Schweinitz;
Leibgedinge f. Ilse v.
Falke (Witwe): Brandis
urkl. 4.7.1476

Hans
Rittergut Hirschfeld
Edelknecht d. Herzg.
Wilhelm III. pilgert
26.3.1461 mit n. Jerusalem, zus.m. Graf
Heinrich v. Stollberg,
Erbmarschall Achaz v.
Pappenheim; aus Meißen
Georg v. Schleinitz u.
Dietrich u. Kaspar von
Schönberg u.a., wird
m. Bruder Wilhelm v. B.
m. Löben u. Brandis bel.

nachrichtlich:
1463 wird Eckenbrecht von Bora
als Besitzer des Oberholzes zu
Steinbach genannt, das als Lehen an „von Schönberg zu Rothschönberg" übergeht.

Hans (Jan)
Freigut Lippendorf
∞
Katharina N.N. (1. Ehe)
urkl. 11.12.1482 bel.
d. Ernst u. Albrecht
zu Weißenfels, Zeugen:
Kaspar v. Schönberg u.
Heinrich v. Miltitz
f. Leibgedinge Dorf,
Vorwerk u. Sitz zu d.
Sale,
kein Sohn

Hans
Rittergut Hirschfeld
*ca. 1475, † ca. 1542

2. Ehefrau ist
Margarete von Ende,
die 15.5.1505 alle
Güter zu Lippendorf
z. Leibgedinge erhält,
verkauft 1525/30 d. Gut
Hirschfeld an Wolff v.
Mergenthal zu HF. als
Agnaten (Cousin). Wolff
u. seine Schwester Catherina sind M. Luther
bekannt, Hans behält d.
Lehen Löben, später im
Alter in Moderwitz/Neustadt a.d. Orla b. Hayn

Magdalen
(Muhme L
†1537
Nonne zu
schen, s.
im Luther

Katharina v. BORA
*29.1.1499
∞
MARTIN LUTHER

1. Soh
auf Lö

ARINA VON BORA

s oder Dam Pflugk ⚭ N.N.
1393 auf Zschocher/bei
zig – Marienkapelle

Johannes (Jhan) von Haugwitz ⚭ N.N.
um 1368

el Pflugk ⚭ Barbara von
H. Zschocher Erdmannsdorf
um 1410

Hanns v. Schönberg ⚭ N.N.
Ritter urkl. 1454
Rothschönberg

Jahn v. Haugwitz ⚭ Klara von
Rat d. Markgrafen Plaussig
urkl. 1386-1414 urkl. 1387

el Pflugk
Knauthayn
†1482
a v. Schleinitz

Elisabeth (Ilse) Pflugk ⚭
a.d.H. Zschocher/W. Elster
*ca. 1430 - 1490
3. Juni 1478 Leibgedinge
Hälfte der Güter ihres M.
Vormünder: Graf Heinrich v. Einsiedel u. Heinrich v. Starschedel

Heinrich v. Schönberg
auf Stollberg (ab 24.2.1477)
*ca. 1428 - 1507
1458 - 1507 Rat der sächs. Kurfürsten u. Herzöge, 1480 Romreise mit Ernst, 1469
Vormund f. Else v. Reinsperg d. Hans v. Reinsperg
Frau m. Chr. v. Staupitz
sonst m. Hugold v. Schleinitz

Caspar v. Schönberg
Ritter 1461, Lehen
zu Sachsenburg

Kaspar von Haugwitz
Ritter 1427
†vor 1459
⚭
Katharina v. Köckritz
Lehen 1437
u. 1460 von
Cleeberg, Mölbitz,
Taucha, Haubitz ~~u.a.~~

Georg v. Haugwitz
zu Hirschstein,
Domdechant zu
Meißen, Canzler
d. Kurfürsten
†1.10.1463

Johann v. Schönberg
Bischof zu Naumburg

zu Rothschönberg

nß v. Mergenthal (1. Ehe) ⚭
1435 – urkl. 1480
zler u. Landrentmstr.
erzogs Albrecht, ab 1476
sherr zu DB, Hirschfeld,
eberg, Neukirchen, Wilden-
, Tanne, Fichta, Krummen-
ersdorf, Naundorf, Klitschen,
aus der Stadt Zwickau

Anna v. Schönberg ⚭ (2. Ehe)
*ca. 1452 - 1496
Grab in Haugwitzkapelle
Leipzig

Jhan v. Haugwitz
*ca. 1452 -1525
Ritter zu Hirschstein/Elbe ab 1461

u. 8 Geschw.

siehe Tafel 4 der Familie von Haugwitz

von Mergenthal

von Haugwitz

; zu HF
1 v.
perg

Maria
Nonne zu
Seislitz

Barbara
⚭
N.N. von
Mispelbach

Anna
ca. 1482-1504
von Haugwitz
a.d.H. von Mergenthal
vom Schl. Hirschstein,
urkl. viel später als
Annen von Hauwitz oder
Haubitz (Ortsbezeichng.)
verzeichnet d.F.S.Keil

Else
Nonne

Barbara, Valthen, Wilhelm
alle a.d.H. von Mergenthal

Gottschalk
*1495, †1552
⚭ E.v. Pflugk

Katharina
⚭ Haubold
v. Pflugk

f v.
gen-
HF

Catherina
Nonne zu
Freiberg

Anna

= Cousinen der

DB = Deutschenbora
HF = Hirschfeld

⚭

Hans v. BORA
Schwager Luthers, 1534
Kauf v. Zölsdorf, 15.5.1545
Kartause bei Crimmitschau

3. Sohn N.N.
⚭
Christine N.N.
†vor 1542, s. Sohn Florian

NACHWORT

Jede wissenschaftliche Kritik, die der weiteren Aufklärung dient – sei es durch Dokumente oder logische Schlüsse – ist willkommen. Der Kritiker möge maßvoll berücksichtigen, daß 500 Jahre vergehen mußten, ehe das zuvor Gesammelte jene Addition gefunden hat, die Generationen von Pfarrern oder Nachkommen Martin und Katharina Luthers – aus welchen Gründen auch immer – nicht vorlegen konnten. Eine Ungenauigkeit dient dazu, daß sie in der weiteren Forschung aufgehellt wird. Vielleicht hat ein päpstliches Archiv die Geburtsurkunde der Katharina deponiert? Oder die ihrer Mutter? – Hier könnte ökumenische Zusammenarbeit Großes zeitigen. – Vergessen wir bei alledem nicht den geistlichen Vordergrund – denn Katharina wollte keine Heilige werden und noch viel weniger eine Reliquie.

ANHANG

BESONDERE QUELLENANGABEN

Das Adelsgeschlecht von Pflug (Pflugk)

ABBILDUNG 61:
WAPPEN VON PFLUGK

Evangelisch. – Uradel, der in Böhmen mit U l r i c u s dictus A r a t r u m 1267 urkundlich (s. Freiherr von Mansberg, Erbarmannschaft Wettinischer Lande Bd. IV, Seite 591 ff.), auftritt, auch in Bayern erscheint und später ins Osterland (Ritter Ulrich Pluoch beim Bischof von Merseburg 1295/96), nach Zschocher bei Leipzig sowie ins Meißner Land nach Strehla/Elbe (Ritter Otto Pflug, † um 1427) und Kreynitz, Zabeltitz und Altbelgern/Elbe übersiedelte! Die sächsischen Linien bedienten sich des Adelszeichen „von“ zumeist nicht. – Wappen: Vom Ursprung her ein aufgerichtetes, auch schräglinks liegendes umgewendetes Pflugeisen; daneben auch ein schrägrechts liegender Lindenast mit oben zwei, unten einem Blatt. Auf dem Helme zwei umgewendete Pflugeisen. – Später: von Rot und Silber geviert. Eins und vier ein schrägrechts gestelltes, umgewendetes, silbernes Pflugeisen, zwei und drei ein schrägrechts gelegter, natürlicher Lindenast mit oben zwei, unten einem grünen Blatt. Auf gekröntem Helm mit rot-silbernen Decken zwei aufgerichtete, umgewendete silberne Pflugeisen, besteckt mit kleinen, silbernen Straußenfedern. (Vgl. Frhr. v. Mansberg, wie vor, Bd. I (Das Osterland), S. 220 ff. und Tafel 11; Bd. II (Die Mark Meißen), S. 132 ff. und Tafel 28 und Bd. IV (Nordböhmen), S. 591 ff. und Tafel 71; von Feilitzsch (siehe evang. Kirche Deutschenbora). – Zur Familiengeschichte des meißnischen Adels s. S. 217 ff. in Gothaischen adel. Taschenbuch (Adelskalender „Gotha“) und verschiedene Aufsätze im „Deutschen Herold“, Monats- und Vierteljahresschrift vor 1921.

Das Adelsgeschlecht „von Haugwitz"

Abb. 62: Wappen von Haugwitz

Evangelisch und katholisch. – Meißnisches Adelsgeschlecht, Uradel, mit gleichnamigen Stammhaus im Erzgebirge (eines Wappenstammes mit dero von Rechenberg), der mit Sifridus de Hugwitz 1225 urkundl. (Original im Archiv Görlitz oder des Bistums Meißen in Bautzen; s. Neues Lausitzisches Magazin 35 (1859), S. 345) zuerst, später auch in der Lausitz erscheint. Dessen Stammreihe beginnt mit Matthäus von Haugwitz, 1474 auf Klein-Obisch. Über die Lausitz nach Schlesien gekommener Adel (Ende 13. Jahrhundert), der mit Andreas Hugovizt als Zeuge in einer Urkunde Herzogs Heinrich III. von Schlesien am 2. Dez. 1257 erscheint. Auch später in Mähren, in Böhmen (Ende 14. Jh.) und Österreich ansässig. Zu ihm gehören Heinrich († 1350), Landeshauptmann von Breslau, Hans d.Ä. († 1526), Feldhauptmann des Königs Matthias Corvinus von Ungarn, kaiserlicher Oberst und brandenburgischer Kanzler, und dessen Enkel Hans († 1582), Landeshauptmann von Mähren. Hans d. Ä. Enkelin, ist Herzogin Ursula zu Münsterberg, zu Troppau, Gräfin zu Glatz, Tochter von Herzog Victorin, Zisterz.-Nonne und Nichte der Zedena (Sidonie), Albrecht von Sachsens Ehefrau, der Tochter Podjebrads, flüchtet am 6.10.1528 aus dem Kloster zu Freiberg. Sitze derer von Haugwitz sind vor 1460 Burgwerben, Kaspar v. Haugwitz auf Stontzsch (ca. 1420), andere auf Cleeberg, Rüben, Groitzsch, Flößberg, Beucha, Haubitz, Taucha, auf Schloß Hirschstein 1463 - ca.1499 Jan von Haugwitz mit d. kurf. Kanzler Georg von Haugwitz († 1466) und Domdechant zu Meißen, seit 1463 Bischof von Naumburg; ein Wilhelm v. Haugwitz um 1515 auf Taucha. Weitere der sächs. Linie (erloschen um 1750): Peter († 1463), seit 1435 Bischof zu Naumburg; Christoph († 1536), Kanonikus zu Bautzen, Anhänger der Reformation; ein Gottschalk (*ca. 1495 auf Hirschstein/Elbe, † 1552) als kursächs. Marschall; Johann (1524-1596), letzter Bischof von Meißen 1555-1581, 1582 in Mügeln verheiratet mit Agnes v. Haugwitz, eines meißn. Hauptmanns Christoph v.Haugwitz's Tochter zu Belgern, (s. ADB XIV). – Im Codex Diplomaticus Saxoniae Regiae, 2. Hauptteil, V. Bd., K. Frh.

von Posern-Klett, Leipzig, Giesecke & Devrient, 1875.: S. 164, 170, 193 wird „canzler Jurge von Haugwitz“ genannt, S. 312 No. 425, 16. Juni 1499 wird „Äbtissin Elisabeth von Haugwitz im Kloster Marienstern“ genannt Wappen: In Rot ein rechtsseitwärts gekehrter, goldgekrönter schwarzer Widderkopf mit gekrümmten, goldenen Hörnern. Auf dem gekrönten Helme mit rot-schwarzen Decken der Widder wachs., dessen Krone mit einem Busch schwarzroter Straußfedern besteckt ist. Vgl. auch GHdA, Gfl. Häuser A, Bd. III (1958) - Goth. adel. Tschb. A (Stammreihe und ält. Genealogie) und 1939.

Das Adelsgeschlecht „von Bora“

Abb. 63: Wappen von Bora

Altes sächs. Adelsgeschlecht, welches mehrmals mit der schlesischen, auch in Sachsen vorgekommenen Familie von Borau, genannt Kessel, in Verbindung gebracht wurde. Die Wappen sind jedoch anders. – Im Horn, Henric Illustr. March. Misn., wird H a n s von B o r e in einem dem Kloster Dobrilugk gegebenen Diplom als Zeuge aufgeführt; ein H a n s von B o r a nimmt 1461 als Begleiter Herzogs Wilhelm III., Bruder des sächs. Kurfürsten, an einer Pilgerreise ins gelobte Land teil, ein jüngerer H a n s von Bora, Herr auf Klein-Lausig lebte noch um 1542. Seine Tochter, K a t h a r i n a von Bora, gest. 1552, war in ihrer Jugend im Nonnenkloster zu Nimbschen, verließ es mit 24 Jahren, floh 1523 nach Wittenberg und wurde Luthers Frau. Obengenannten Hans v. Bora auf Klein-Lausig nennt Luther selbst seinen Schwehervater. Der von M. Jacob Vogel, Prosapia Lutherana, 1720 angefochtene Adel der Katharina v. Bora geht eindeutig noch aus einem Lehnsbrief v. 30. Januar 1573 hervor, der sich in den „Unschuldigen Nachr. von theolog. Sachen“, Jg. 1732, S. 875, befindet. Hierin belehnt Kurfürst August von Sachsen den Clemens v. Pora mit einem Hause u. Weinberg im Städtchen Dohna und mitbelehnt werden: Hans v. Pora zu Carthausen und „der hochgelehrte unsere Leibarzt Paul Luther“ (Martin Luthers jüngster Sohn). Gegen Ende des 16. Jahrhunderts ist das Geschlecht, welches die Güter Löben unweit Jessen, Stein-Lausig etc. besaß, ausgestorben. – Wappen: in goldenem Schild ein rechtsgerichteter, aufrechter, roter Löwe mit doppeltem Schweif. Der Spangenhelm darüber trägt einen aus Gold und Rot gewundenen Wulst, auf dem sich ein Pfauenfeder-Busch befindet, Decke gold und rot. – Quelle: Ernst Heinr. Kneschke, Neues allg. Deutsches Adels-Lexikon, 6. Bd. Löwenthal-Osorowski, Jg. 1865, S. 562, 563, Leipzig, Vlg. Friedrich Voigt's Buchhandlg, und Siebmacher, I., S. 155: von Bora, Meissnisch, (siehe auch Tabelle zum Geschlecht von Bora im Anhang).

Das Adelsgeschlecht „von Haubitz"

ABB. 64:
WAPPEN VON HAUBITZ

Altes meißnisches Adelsgeschlecht aus dem gleichnamigen Stammsitz bei Grimma. Doch ist nicht zu übersehen, daß auch nördlich von Borna ein den Namen Haubitz führendes Dorf liegt. Mehrfach werden zu verschiedenen Zeiten Mitglieder des Geschlechts von Haugwitz in Meißen oder Schlesien Haubitz geschrieben, welchen Namen eine dort ansässig gewesene Adelsfamilie trug, die mit jener nicht zu verwechseln ist, da sie ein abweichendes Wappen führte. Ein Martin v. Haubitz führt am Hof in Dessau 1585 flgd. Wappen: Schild b. u. w. gespalten mit einer Lilie in verwechselten Tinkturen, Helm drei fächerartig gestellte Lilienstäbe, Decken b. u. w. – Das Geschlecht kommt zeitig nach Ost-Preußen (Stammhaus Wiersbau, Kr. Neidenburg), eine Linie wieder nach Sachsen. Hofr. Glafey gibt unter Bezug auf ein Siegel des Tobias Freiherrn v. Haubitz mit einem Helmschmuck aus einem mit schwarzen und weißen Federn vermischten Flug und auf Lehnsbriefen von 1540 u. 1554 an, daß Friedrich u. Asmus wechselweise v. Haubitz und v. Haugwitz genannt worden wären. Hans Asmus ist Herr auf Haubitz, Leipnitz u. Dobernitz, zuvor ist Hans als Lehnsherr auf Haubitz u. Leipnitz mit Anna geb. von Rechenberg (etwa Regensberg=Reinsberg?), zuvor Adolph, zuvor Andreas, zuvor Asmus v. Haubitz auf Wiersbau, der um 1540 nach Sachsen kommt. 1526 leitet ein Asmus v. Haubitz, Bruder der Äbtissin Margarethe von Haubitz, die Verwaltung des Klosters Nimbschen! Die wechselweise Schreibweise beruht auf unrichtiger Schreibweise, wie auch die v. Sinapius erwähnten v. Haubitz/Hauwitz, nicht hierher, sondern in die Familie von Haugwitz gehören. In der Kirche zu Burkhardswalde sind im Hochaltar die Wappen von Haugwitz und Haubitz in einer Umrahmung vereint.

Das Adelsgeschlecht „von Mergenthal"

Abb. 65: Wappen von Mergenthal

Altes meißnisches Adelsgeschlecht, das, zunächst vor 1464 in dem Gut Marienthal bei Zwickau ansässig, bürgerlich war, woher sich sein Name ableiten soll, alsdann durch den zwickauer und freiberger Bergbau zu Ansehen und Vermögen kam, zu Deutschenbora und Ober-Eula, zu Hirschfeld, Froburg etc. saß und 1475 geadelt wird. Von Genealogen wird es aus Franken kommend hergeleitet. – Hans v. Mergenthal d.Ä. steigt 1464 zum „Cantzler" von Herzog Albrecht von Sachsen auf, ist später sein Landrentmeister. Der Genannte wohnte zunächst mit seinem Bruder Caspar v. M. in Freiberg u. erhielt von Papst Paul II. 1469 die Erlaubnis, in ihren Häusern eigene Altäre zu haben u. Messe halten zu lassen. Zur gleichen Zeit etwa heiratet er Anna von Schönberg und wird belehnt um 1474 mit Deutschenbora und umliegenden Rittergütern. Derselbe reiste 1476 mit dem Herzog in das gelobte Land. Er starb 1480. In „Codex Diplomaticus Sax. Regiae" (s. unter Haugwitz) S. 236, No. 319 vom 25. Febr. 1465 ist Hans v.M., canzler (Original im Ratsarchiv Dresden, Hasche Urkundenbuch S. 297); S. 248 – 251, No. 344 vom 5. Jan. 1470 wird mit Hans v.M. neue Rathsordnung erlassen, dabei sind Ditterich v. Schonberg, ritter und untermarschall, Caspar von schonberg, ritter, Dr. Johannes Schybe, unser canzler (erwähnt wird Hugolt v. Slinitz, Obermarschall); S. 256, Nr. 353 v. 19.Dez. 1471, gegeben zu Dresden, und S. 453 v. 6.März 14 74 ist Hanns v. M. Landrentmeister; Seiten 268/69, No. 370 v. 10. April 1475 gegeben zu Dresden ist „canzler Dr. Johann Schybe (und) Hanns v. Mergenthal „landrentmeister". Kurfürst Ernst erteilt im Namen zugleich von Albrecht ein Patronatsrecht (Nach Cop. 59 im Hauptstaatsarchiv). – Der Sohn, Hans d.J., nahm das Bürgerrecht in Freiberg an, wurde Ratsherr, wohnte zu Hirschfeld und starb 1506, beerdigt in der Stiftskirche zu Altenzella. Von ihm stammte Wolfgang (Wolff) v.M. auf Hirschfeld, der als kursächs. Oberschenk im Jahr 1556 starb, Herr zu Deutschenbora u. Ober-Eula; Linie erlischt mit Philipp v. M., Domherr zu Meißen, am 17. März 1748. Übrig bleibt das Dorf Mergenthal. Schönes Wappen üb. Tor d. Gutes Deutschenbora. – Wappen: blaues Feld mit weiß von linksunten nach rechtsoben, steigender weißer Schärpe, im Feld sechs gold. Sterne, blauweiße Wedel quer, gold. Stechhelm mit Krone, darüber verjüngend ein Hals mit Tierkopf (?).

Quellen: Prof. Dr. phil. E H. Kneschke, Neues allg. Deutsches Adels-Lexikon, 6. Bd., Jg. 1865 u. 9. Bd. Jg. 1870, Leipzig, Vlg. Fr. Voigt's Buchhdlg., S. 243;

Heyd, Hanns von Mergenthal – Allg. Deutsche Biographie, Bd. 21, Vlg. Duncker & Humblot, Leipzig, Jg. 1885, S. 421/422; Grulich, Friedr. Joseph, „Denkwürdigkeiten d. altsächs. kurfürstl. Residenz Torgau a.d.Z. und zur Geschichte der Reformation“, Dessau, Vlg. Neubürger 1834, XX 127 S.; König, Valentin, „Genealog. Adels-Historie oder Geschlechtsbeschreibung derer im Chursächsischen ... ältesten und ansehnlichsten adelichen Geschlechter“, Th. I-Leipzig: Deer 1727, 1. Jg. 1727, 2. Jg. 1729, 3. Jg. 1736. – Herzog, Emil, „Chronik der Kreisstadt Zwickau“, Vlg. Zwickau Zückler, Jg. 1839/45. – Ermich, Hubert, „Neues Archiv f. sächs. Gesch. u. Altertumskunde“, Jg. 1924 und Dehne, Beatrix, siehe „Urkunden d. Markgrafen von Meißen u. Landgrafen v. Thüringen 1419-1427“, Hrsg. Beschorner, Leipzig/Dresden 1941 u.a.m.

Das Adelsgeschlecht „von Schönberg“

Katholisch, später evangelisch – Hoher meißnischer Adel, seßhaft in Wilsdruff und Rothschönberg, Reichardt v. Schönberg baut vor 1420 in Altenzella die Schönberg'sche Kapelle mit Michaelsaltar, Caspar v. Schönberg erweitert sie u. baut zwei Altäre (um 1420?), Ritter Hanns v. Schönberg teilt 1454 sein Lehen an die Söhne Heinrich u. Caspar v. Schönberg auf. Heinrich ist seit 1458 im Gefolge Friedrich II. v. Sachsen und seit dem 24. Febr. 1477 der Gründer des Stollberger Hauptzweiges, alleiniger Besitzer der Herrschaft Stollberg, Vormundschaftsbeauftragter des Kurfürsten z.B. am 2. Juni 1460 zu Meißen für Margaretha, Lutold's v o n d e r S a l e Gattin (mit Hugold von Schleinitz) oder am 1. Febr. 1464 zu Meißen für Jurgen's von Schlieben Ehegattin (mit Sigmund v. Miltitz), Hauptmann auf dem Schellenberge, Rath unter fünf Räthen von Friedrich dem Weisen am 15. Febr. 1491, stirbt vor dem 3. Octob. 1507 (urkdl. Lehnsbrief). Sein jüng. Bruder Caspar ist Rath des Herzogs Albrecht, der dem Jan von Bora u. dessen Ehefrau Katharina am 11.12.1482 einen Sitz zu der Sale bezeugt (mit Heinrich v. Miltitz), 1486 von Kaiser Friedrich III. wegen Verdiensten im Friesenfeldzug in Aachen zum Ritter geschlagen, sein Denkmal in der Schönberg-Kapelle Ende des 15. Jhdt. wurde nach Altenburg versetzt, dort 1797 zum Guß einer Glocke verwendet. Die Inschrift gibt Knauth I S. 103 wieder. s. Lehfeld, Bau-und Kunstdenkmäler Thüringens, 1. Bd. S. 260, Jena 1895. Onkel Bischof Dietrich v. Schönberg, Meißen, †1476, verwandt mit von Honsperg, von Heynitz, von Karras. –

ABB. 66:
WAPPEN VON SCHÖNBERG

Wappen: (Ende des 15. Jhdt.) fast senkrecht sich aufreckender, links- oder rechtsdrehender Löwe mit langem Schweif, von dem drei Blätter abzweigen, darüber Stechhelm mit gefältelter Helmzier, Decke quer und Krone, darauf kegelförmig aufsteigd. Körper mit nach vorn schauendem Löwenkopf, vor dem Außentor zu Rothschönberg ein Stein, darauf die Wappen: der von Stangen, der von Schönbergk, der von Ende, ein ähnliches Wappen in der Kirche zu Deutschenbora. Caspar von Schönberg ist um 1411 Bischof zu Meißen auf Reinsberg, später um 1456 zu Neukirchen, seine Schwester, eine von Kauffungen, ist die Mutter des Prinzenräubers Kuntz v. Kauffungen, der 1556 die Söhne des Kurfürsten Ernst entführte. – Quelle: Fraustadt, Albert. „Die Geschichte des Geschlechts von Schönberg, Meißnischen Stammes", Bd. I, Leipzig 1878 u. siehe unter Vorwort: „Stand u. Herkommen d. Insassen einiger Klöster d. mittelalt. Mark Meißen", Gerhardt Burck, Meißen 1913 – Inauguraldissertation.

Quelle: Sächs. Landeshauptarchiv Dresden (einige der Auszüge sind von Prof. Karlheinz Blaschke) und Herr Gerolf Fiedler, der Chronist in Deutschenbora (7. Juli 1997):

1197 wird ein Herrensitz „Zbor“ genannt (Deutschen- oder Wendischbora). Es ist zu erwarten, daß die Besitzer dieses Herrensitzes bereits den Geschlechternamen „von Bora“ trugen. Sie nahmen damit den Namen ihres Grundbesitzes an:

23.8.1220	Eine Urkunde nennt „Arnoldus et Hildebrandus fratres de Zbore“
18.3.1282	Herr von Bor ist Friedericus de Bor, gleichzeitig auch Besitzer von Weitzschenhayn
21.3.1320	Arnoldus des Bore ist Besitzer von Bor
1323	Arnoldus des Bore noch Herr auf Bor
1334	Deutschenbora wird erstmals als „Bor teutonicum“ genannt
1350	Johannes de Bor et Theodoricus suus werden als Herren von Reinsberg und Hetzdorf genannt
1350	Fridericus de Bor – Herr von Zedlitz
1350	Alber de Bor hat Zins auf Blattersleben, Heinricus de Bor hat Zins in Erlbach bei Döbeln und Hermsdorf, Petir von Bore wird als Rathmann zu Freiberg genannt
28.11.1399	„Hannus v.dem Bohr, daselbis gesessin“ wird in einer burggräfl. Urkunde genannt
2.3.1412	„Hannus u.Heinrich vom Bore gebrudere czum dueczhen Bore gesessin“, verkaufen Zinsen in Ilkendorf, auch 21.1.1416 Es ist das erste Mal, daß Vertreter des Geschlechtes „von Bora“ als Grundherren von Deutschenbora genannt werden.
1418	Johannes de Bor ist pharrer zu Tutendorf
24.6.1422	Hannus u. Heinrich v.dem Bore sind als Zeugen in einer burggräfl. Urkunde mit Sitz in Deutschenbora genannt.
8.7.1423	„Hannus und Heinrich v.d. Duetzschen Boer, mit Sitz in Neukirchen...“ Offenbar haben die Grundherren in 1423 den Wohnsitz von Deutschenbora nach Neukirchen verlegt.
1425	Hanns von Bor ist Besitzer von Deutschenbora (s. „Neue Sächsische Kirchengalerie“)

Als 1436 (1. Mai) die Stadt Nossen mit der Burg und ihren Besitzungen sowie der hohen und niederen Gerichtsbarkeit dem Kloster Altenzella übergeben wird, gerät auch Heinrich von Bora wegen seiner Güter in Nieder-Eula in die Lehnsabhängigkeit des Klosters. Da in der gleichen Urkunde der Bruder Heinrichs, Siegmund von Bora zu Hirschfeld, als Lehnsmann des Klosters genannt wird, zeigt sich, daß die Grundherrschaften Wendisch- und Deutschenbora, Neukirchen und Hirschfeld im Besitz dieses Geschlechts sind. Sigmund von Bora gilt als der Urgroßvater der Katharina von Bora (siehe: „Neue Sächsische Kirchengalerie – Die Parochie Hirschfeld", S. 71)

Folgender Beitrag stammt von Pastor Langer im Jahr 1900. Text: „Georg, auch Jorge von Reinsperg zu Hirschfeld, wurde 1485 erwähnt. Jedenfalls ist anzunehmen, daß das Vorwerk Moritzthal damals ein Rittergut war und sich im Besitz derer 'von Bora' befand. Der Sohn des genannten Siegmund von Bora, Hans von Bora, begleitete 1461 den Herzog Wilhelm auf dessen Wallfahrt in das gelobte Land; der Enkel Siegmunds, auch ein Hans von Bora, soll mit Anna von Haugwitz vermählt und der Vater der Katharina von Bora gewesen sein."

Ein weiterer Beitrag stammt von Pfarrer Möckel in „Geschichtliche Notizen" um 1914. Text: „1504 verkauft Georg von Reinsperg seinen Rittersitz und zwischen 1525 und 1530 der letztgenannte Hans von Bora den seinigen an die von Mergenthal. Unter diesem Namen taucht um 1476 in Meißen ein im Besitz der Rittergüter Deutschenbora, Tanne, Tanneberg, Fichte, Neukirchen, Wildenborn, Krummenhennersdorf, Neuendorf und Klitschen befindliches adliges Geschlecht auf, dessen Ursprung von dem einen aus Frankreich, von dem andern aus dem Geschlecht derer von Bora abgeleitet wird."

—— E N D E ——

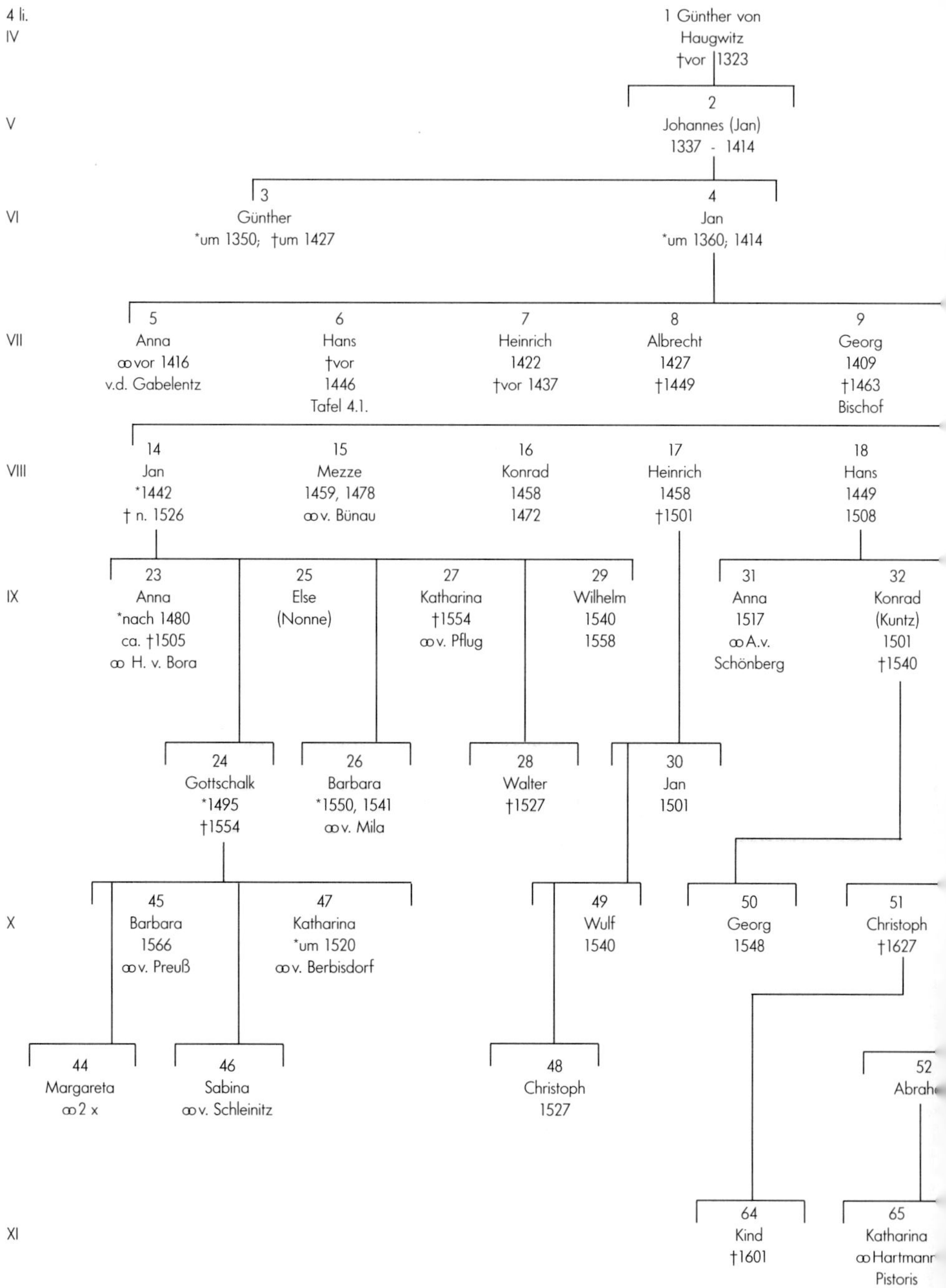
4 li.
IV
1 Günther von Haugwitz †vor 1323
V
2 Johannes (Jan) 1337 - 1414
VI
3 Günther *um 1350; †um 1427
4 Jan *um 1360; 1414
VII
5 Anna ∞vor 1416 v.d. Gabelentz
6 Hans †vor 1446 Tafel 4.1.
7 Heinrich 1422 †vor 1437
8 Albrecht 1427 †1449
9 Georg 1409 †1463 Bischof
VIII
14 Jan *1442 † n. 1526
15 Mezze 1459, 1478 ∞v. Bünau
16 Konrad 1458 1472
17 Heinrich 1458 †1501
18 Hans 1449 1508
IX
23 Anna *nach 1480 ca. †1505 ∞ H. v. Bora
25 Else (Nonne)
27 Katharina †1554 ∞v. Pflug
29 Wilhelm 1540 1558
31 Anna 1517 ∞A.v. Schönberg
32 Konrad (Kuntz) 1501 †1540
24 Gottschalk *1495 †1554
26 Barbara *1550, 1541 ∞v. Mila
28 Walter †1527
30 Jan 1501
X
45 Barbara 1566 ∞v. Preuß
47 Katharina *um 1520 ∞v. Berbisdorf
49 Wulf 1540
50 Georg 1548
51 Christoph †1627
44 Margareta ∞2 x
46 Sabina ∞v. Schleinitz
48 Christoph 1527
52 Abrah
XI
64 Kind †1601
65 Katharina ∞Hartmann Pistoris

Tafel 4 der Familie von Haugwitz

freigegeben von Dr.med. Thilo von Haugwitz, Norderstedt

Tafel 4
von Tafel 0

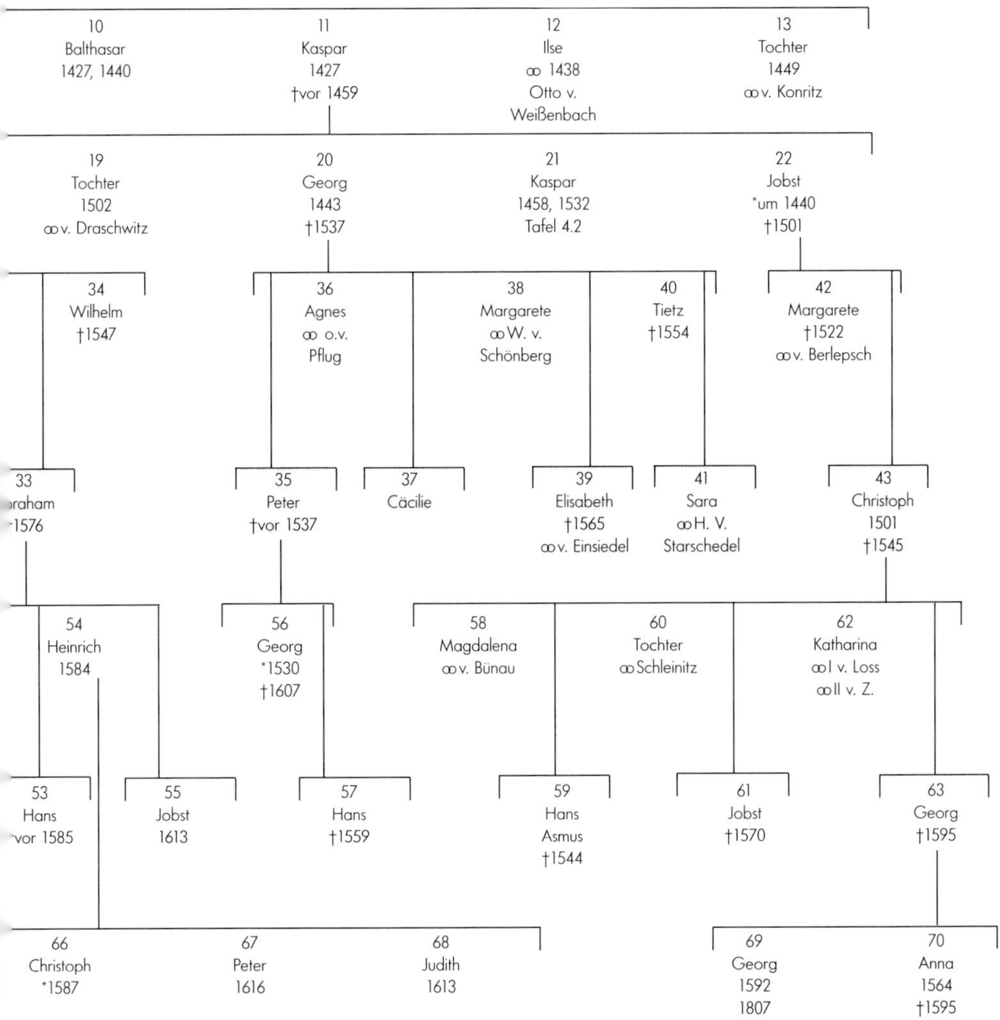

DAS GEBIET
DES BISTUMS MEISSEN
IM 10. UND 11. JAHRHUNDERT
AUF GRUND DER VERTEILUNG VON
WALD UND SIEDELUNGSLAND
UND DER GAUEINTEILUNG
Elbe
Wörlitz
Kleutsch
Sollnitz
Eutzsch
Rakith
Kölden
Trebitz
Pretzsch
Axien
Prettin
Greudnitz
Dommitzsch
Pouch
Mulde
Löbnitz
Düben
Tiefensee
Elsnig
Süptitz
Zwethau
Torgau
Graditz
Weßnig
Belgern
Dröschkau
Eilenburg
Lüber
Püchau
Taucha
CHUTIZI
Leipzig
Wurzen
Mulde
Dahle
Strehla
Gröba
Oschatz
Döllnitz
Nerchau
Döben
Mutzschen
Parthe
Magdeborn
Mügeln
Jahna
Stauchs
Boritz
Zehren
Zadel
Schrebitz
Polkenberg
Groitzsch
Eula
Zschaitz
Leisnig
Leuben
MEISSEN
Colditz
Mulde
Döbeln
Mochau
Triebisch
Woz
Saubach
Schnauder
Zschopau
Striegis
Rochlitz
Kohren
Zschillen
Briesnitz
Pesterwitz
Pleiße
PLISNI
Mulde
Chemnitz
Weiße Elster
Zossen
Nuthe
Dahme
Golßen
Lübben
Dahme
Luckau
Schweinitz
Lebusa
Gehren
Schwarze Elster
Dobrilug
Schwarze Elster
Pulsnitz
Röder
Müglitz
NELETICI
SUSALI
DALAMINZE
NISANI
LUSIZI

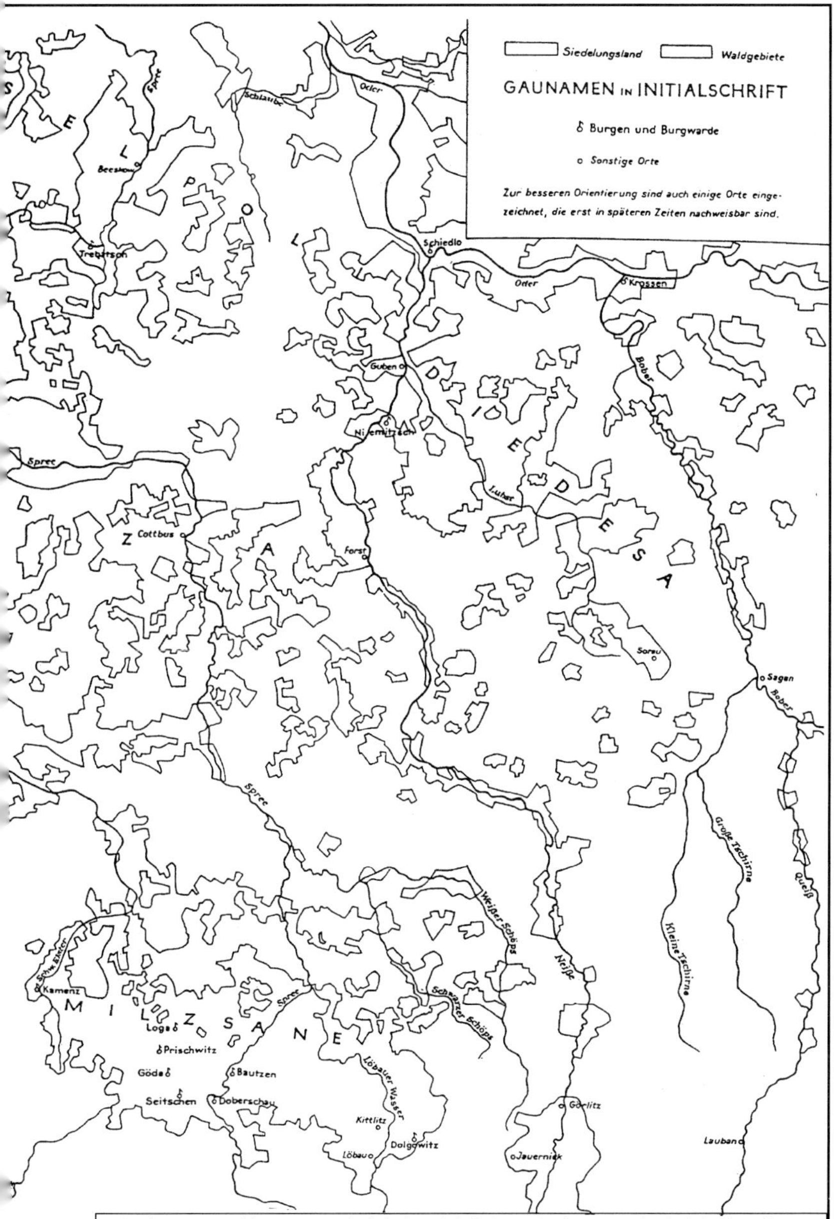

In den ältesten Zeiten wird der Bistumssprengel nicht durch eine fortlaufende Grenzlinie bestimmt, sondern durch die teils geschlossenen, teils verstreuten Wohngebiete der Gaue. Erst wegen der später zunehmenden Besiedlung der Grenzstreifen wird eine genaue Abgrenzung nötig. 970: Die Gaue DALAMINZE, Nisanne, Milzsane, Lusiza, Diedesa. 981: Der östliche Teil des Gaues Chutizi beiderseits der Mulde und der Gaue Nizizi kommt hinzu. 996: Der Gau Selpoli kommt hinzu. 1017: Die Mulde wird Grenze gegen Merseburg, das Westufer wird abgetreten, auf dem Ostufer die Burgbezirke Wurzen und Püchau hinzugewonnen. 1063/64: Die Mulde wird bis Altjessnitz Grenze gegen Magdeburg, wofür Burgbezirke auf dem linken Elbufer abgetreten werden.

Begriffe:

Leibgedinge	= (Vitalitium) auf Lebenszeit ausbedungen, seit dem frühen Mittelalter ist L. der zur Versorgung der überlebenden Witwe im voraus vom Ehemann bestellte lebenslägliche Nießbrauch an gewissen Grundstücken. Der Ehemann durfte die Leibgedingsgüter ohne Zustimmung der Frau nicht veräußern. Das L. ist mitunter unabhängig von einer Wiederheirat der Witwe, mitunter lediglich Witwenversorgung. Später hat sich als Gegenleistung der Mitgift der Ehefrau das Gegenvermächtnis entwickelt, wenn es im Nießbrauch von Gütern besteht, bei Rittergütern als Dotalitium, Donatio propter nuptias, bezeichnet. Anderwärts wird L. Wittum genannt, das, was der Witwe zu ihrem Unterhalt, unabhängig vom Eingebrachten ausgesetzt ist oder zusteht. Ist ein männl. Erbe vorhanden oder noch zu erwarten, darf nur ein Teil der Güter an die Ehefrau übertragen werden, sonst alles.
a.d.H.	= aus dem Hause
d.Ä.	= der Ältere
d.J.	= der Jüngere
Rh.G.	= Rheinische Gulden
fl.	= Florin
Err	= adliger Herr
Johannes	= Jahn, Jhan, Jan, Hannß, Hannus, Hans
Nikolaus	= Nikkel, Nicol

Abbildungsnachweis:

Abb. 2, 3, 6, 7, 8, 41, 43, 57: „Geschlechterzug“, Ölgemälde aus der evangelischen Kirche Deutschenbora, Fotograf Martin Eichler, Dresden, Archiv Liebehenschel

Abb. 4, 5, 16, 35, 22, 44, 47 Archiv Liebehenschel

Abb. 9, 10: Archiv Liebehenschel, Erstveröffentlichung

Abb. 11, S.92/93: Otto Moser, „Die Umgebung Leipzigs – ein geschichtlicher Abriß der nächstliegenden 56 Dörfer“, S.12, Fußnote 9, Archiv FU Berlin

Abb.12, 13, 14, 17, 19, 25-40, 48-56, 72-73, 66: „Beschreibende Darstellung der älteren Bau- und Kunstdenkmäler des Königreiches Sachsen“, Cornelius Gurlitt, Archiv FU Berlin

Abb. 15, 37: Gustav Freytag, „Die Ahnen“, Berlin 1872, S. 906, Archiv Liebehenschel

Abb. 18, 23, 24: Elisabeth Hütter, Die Pauliner-Universitätskirche zu Leipzig, Diss., 1961

Abb. 42, 60: Archiv Gerolf Fiedler, Deutschenbora, 1997

Abb. 45, 46: Kloster Nimbchen und Katharina von Bora, Archiv Liebehenschel

Wolfgang Liebehenschel

In Görlitz/Niederschlesien 1935 geboren, besuchte Wolfgang Liebehenschel dort die Grund- und die gymnasiale Oberschule bis 1955, anschließend in Berlin-Spandau (West) das Gymnasium. Seit WS 1956 studierte er Architektur an der Technischen Hochschule Darmstadt. Nach dem obligatorischen einjährigen Büropraktikum in einem freien Architekturbüro in Frankfurt/M. und beim Staatshochbauamt Gießen-Stadt setzte er sein Studium im SS 1960 an der Technischen Universität Berlin fort. Nach dem Diplom im Jahr 1965 – Diplomarbeit war der Neubau einer evang. Ordensbruderschaft im alten Zisterzienserkloster Riddagshausen bei Braunschweig – ging er in den höheren bautechnischen Dienst des Landes Berlin, in dem er – mit kurzfristigen Unterbrechungen – 32 Jahre tätig war und aus dem er 1997 als Leiter des Hochbauamtes der Bundeshauptstadt - Innenbezirk Kreuzberg - ausschied. 1977 wurde er Baudirektor und 1993 Leitender Baudirektor. In seine Zeit fallen die Vorbereitung der Internationalen Bauausstellung IBA '84 mit allen Investitionsmaßnahmen für Kreuzberg zur behutsamen Stadterneuerung, die Umwandlung der IBA in eine IBA '87 und der Neubau von zahlreichen Schulen, Kindertagesstätten, Sozialbauten sowie der behutsame Umbau der Altbauten Wasserturm, Alte Feuerwache und denkmalgeschützter Bausubstanz.

Wolfgang Liebehenschel ist Mitglied des AIV zu Berlin, der „Gesellschaft Historisches Berlin e.V." und hat einen „Förderverein für das Baudenkmal Heiliges Grab Görlitz" nach Jerusalemer Vorbild geschaffen. Er gehört der Akademie für Genealogie, Heraldik und verwandte Wissenschaften e.V., Sitz Braunschweig, an und ist 2. Beisitzer der Lutheriden-Vereinigung e.V., Sitz Tuttlingen.